天下文化
BELIEVE IN READING

莊子

以自在之心開發無限潛能

傅佩榮 著

目錄

主題四：從真實到美感

自序

值得做的事很多，但我一生做不了幾件，值得念的書很多，但我一生念不了幾本。因此，面對自己短暫的一生，人首先要學會的就是「給一個說法」：我做這幾件事，我念這幾本書，以及我選擇如何如何，都需要一個合理的解釋。

這無異於探討一個大問題：人生有什麼意義？因為「意義」不是別的，而是「理解之可能性」。我過這樣的生活，以這種方式與人來往，這一切作為是「可以理解的」嗎？如果說不出所以然，也就是沒有一個說法，那麼，我的人生就談不上什麼意義，只是人云亦云，隨俗浮沉，十六個字就講完了：「生老病死，喜怒哀樂，恩怨情仇，悲歡離合。」其他的大道理都只是風聲吹過而已。

面對如此處境，似乎只有一條出路，就是「愛好及追求智慧」，而這句話恰好是古希臘時代對「哲學」一詞的原始定義。不過，我在此不是要介紹西方哲學，我要推薦的是與我們一樣使用中文的，中國古人的哲學。雖說是古人，但一點也不老舊；他們使用古文，卻依然照亮了今日世界。蘇格拉底有一個年輕朋友，這個朋友借酒裝瘋，說出他對蘇格拉底又愛又恨的心情：「他使我覺悟生命不該因循苟且，忽略自己靈魂的種種需要，迷失在政治往還的生涯中。我起初無法接受，掩耳疾走，背他而去。他是唯一使我覺得自己可恥的人。我曾多次暗咒他早早死了才好，但我又知果真如此，則我的哀傷將遠遠蓋過我的欣喜。」

「掩耳疾走，背他而去。」我好像也曾有過這樣的念頭，但針對的「他」是誰呢？不是別人，就是我在這兒要向大家介紹的「孔子、孟子、老子、莊子」。他們並稱為「中國四哲」，但我年輕時，只覺得他們難以親近，也不易理解。孔子說話精簡扼要，如念格言金句；孟子倡言仁政理想，結果落個好辯之名；老子看似很有見地，內容卻是恍惚難解；莊子寓言常有巧思，讓人感嘆浮生若夢。我曾想過，如果沒有這四哲，我們求學時會不會輕鬆一點？傳統的包袱會不會減少一點？

現在我明白了。如果沒有他們，我的哀傷將遠遠勝過欣喜，甚至這一生只剩下十個字：重複而乏味，茫然過日子。讀懂他們的文字，領悟他們的思想，實踐他們的教導，品味他們的智慧，然後這才發現自己身為中國人，並且能夠從小使用中文，是一件無比幸福的事。

他們身處危機時代，虛無主義的威脅有如張牙舞爪的惡魔。孔子與孟子代表儒家，主張「由真誠引發內心行善的力量」，使價值的基礎安立於人性中，如此可化解價值上的虛無主義。老子與莊子代表道家，主張「凡存在之物皆有其來源與歸宿」，那即是作為究竟真實的道，如此可消除存在上的虛無主義。前者重視「真誠」，後者肯定「真實」，殊途同歸但皆使人的生命展現明確意義，有如麗日當空，光明普照，而人生的喜悅與快樂也有如空氣般自然遍存。

我歸納儒家思想為四字訣：對自己要約，對別人要恕，對物質要儉，對神明要敬。至於道家，也有另一套四字訣：與自己要安，與別人要化，與自然要樂，與大道要遊。這簡單的八字心得，可以在這四本書中找到詳細的說明。

「孔孟老莊」四哲，每一位都是千年難遇的良師與益友。我研究中西哲學四十餘年，最大的收穫就是學習並了解這四哲的思想。我出版有關他們思想的書籍與有聲書很多，現在這一套書原是一系列四十八講的課程，整理成文字稿再經修訂而成，所以內容淺顯易懂，文字輕鬆可讀，結構完整周延，論述一氣呵成。不限時空，隨手翻閱，壓力不大，心得甚深。談到「哲普」作品，目的不正是如此嗎？

有關「孔孟老莊」四哲的原典與譯文，請參考我在天下文化出版的《人能弘道》、《人性向善》、《究竟真實》、《逍遙之樂》。每次出新書，我都憂喜參半。喜的是心得可以與人共享，憂的是我還可以做得更好啊！

主題一：人間患難深重

第一講：深度虛無主義

老子開創道家思想，由莊子繼承並發揚。莊子生於西元前約三六八年到二八八年間，與孟子同時代，若是對照西方哲學思想的歷程，約是希臘三大哲學家之一的亞里斯多德，以及稍晚的伊比鳩魯學派。

我們了解老子的思想之後，可以將其應用在不同的時代。簡單比喻，老子的思想就像公車車尾印的八個字——「保持距離，以策安全」，老子主張人要自我約束，從虛到靜。莊子生於戰國時代中期，因此要與世界保持距離是不可能的，所以他的哲學思想講求的是人要能夠順應時代的變化，並隨之而改變，且不讓自己受到任何干擾和傷害。

《莊子》一書中最推崇的就是老子，並尊稱他為古代的「博大真人」。老子是真人，代表很多人是假人，為什麼這麼說呢？因為老子窮其一生沒有離開過根源，所謂的根源就是道，道是究竟的真實，一切變化最後都要回歸於道。

司馬遷認為莊子發揮了老子的思想，所以在《史記》中將莊子放在老子之後，然而司馬遷對於莊子的描述不見得都適當，也不太公平。司馬遷認為《莊子》十幾萬字（現存約八萬字）的內容，大多沒有事實根據，皆是莊子個人想像的寓言，且其目的是批判孔子等儒家學者。司馬遷只舉出三篇，〈漁父〉、〈盜跖〉、〈胠篋〉，前兩篇屬於雜篇，蘇東坡認為是偽作，第三篇則屬於外篇。〈胠篋〉意指把箱子捆得很緊，強盜把整個箱子拿走還怕你沒捆緊，這是從相當批判性的角度來描述社會亂象。由此可知，對於莊子的著作，司馬遷的看法並不夠全面也不夠完整。

《莊子》分為內篇七篇、外篇十五篇、雜篇十一篇，共三十三篇。內篇最能代表莊子的內在思想，也是真正的精華所在，七篇都相當重要，依序為〈逍遙遊〉、〈齊物論〉、〈養生主〉、〈人間世〉、〈德充符〉、〈大宗師〉、

〈應帝王〉；外篇是由內到外加以應用發揮，其中有兩篇的重要性不亞於內篇，一是〈秋水〉，一是〈知北遊〉；雜篇所闡述的內容較為混雜，不確定是否受到其他學派影響。總而言之，《莊子》算是莊子跟後代學者合作的成果。

不過司馬遷也稱讚莊子「其學無所不窺」，能讓司馬遷這位著名史學家給出這樣的評價，代表當時的所有著作、各家學說，莊子都有所了解，透過《莊子》所呈現出來的樣貌也的確如此。只要你想得到的古代書籍，包括《易經》，莊子都能通盤領略，並適當批判。我們研究莊子的思想時，亦會覺得他是一代奇才。清朝初年金聖嘆選《六大才子書》，第一本就是《莊子》，不過這也是因為莊子的時代較早。

《莊子》這本書確實了不起，若光是從文學角度來看，書中就出現了許多成語、典故，時至今日仍在使用，不過還是很難將真正涵義闡述清楚，莊子的思想已經達到西方哲學的最高程度。哲學研究的最終目的是建構系統，所以常會探討自然界跟人類之間的根源。尤其人類在面對生與死的現象時，一定會疑惑我的生命是怎麼來的？死後又會去哪裡？宗教家在此時發揮他們的作用，但是真正的哲學家不一定需要宗教，因為他們可以經過探討，設法理性說明。如果一定要強調宗教，就要訴諸信仰，信仰與理性的路線不完全相同，所以真正的哲學家，如莊子，就很有把握，關於這一點，之後會再詳細探討。

莊子認為智慧的最高境界，就是體悟「未始有物」，根本不曾有萬物存在。若依照莊子的想法，我們生活在世是不是在做夢呢？莊子夢為蝴蝶，我們呢？到底有沒有萬物出現呢？就這一點來說，西方哲學家也必須承認，這是最高深的一個問題，人類理性無法超過這個範圍。從這方面來看，莊子確實有他傑出的地方。

莊子喜歡自由自在的幻想，他曾說：「天空看起來是湛藍色的，非常優美。如果你從天空的高度回頭看地球，也是一樣美。」有距離就有美感，平常我們會抱怨這個世界，是因為沒有距離，距離太近容易產生壓力。天空距離我們很遠，我們自然能夠加以欣賞。莊子在現實生活中是非常委屈窮困的，一個人若是生在亂世、生活窮困，卻還能活得快樂，是很難得的，一般人如果在那種情境之下，必定是痛苦煩惱甚至會想要自殺。

我們討論儒家時提過虛無主義有兩種，一種是價值上的虛無主義，這是儒家所要面對的。真假、是非、善惡、美醜叫作價值分辨，儒家發現，如果善惡標準混淆了，做好事沒有好的結果，做壞事也不會受到懲罰，一般人很容易就會陷入混亂，無法理解為什麼還要做好事，這個時候就會顯得無所措其手足，畢竟做好做壞沒有差別，那我又何必做好呢？只要做壞事不被抓到就好了；另一種則是存在上的虛無主義，這樣的情況顯然更嚴重了。人不怕死，認為死了跟活著沒有什麼差別，反正最終總是會死，如果活著是受苦，那麼晚死不如早死。道家在這個想法上，比儒家更為深刻。

儒家關注價值上的虛無主義，擔心人找不到分辨善惡的方法，因此儒家強調真誠由內而發，行善的力量在內不在外，如此一來，才能使儒家的教育產生成效，化被動為主動，讓人願意去做好事，得到屬於自己的快樂。道家則對儒家的學說存有疑慮，善惡標準怎麼定？由誰定？標舉了仁義，就會出現假仁假義，因為在乎別人的評價，甚至不仁不義還找許多藉口。莊子說：「竊鉤者誅，竊國者為諸侯，諸侯之門，而仁義存焉。」（《莊子・胠篋》）這樣的說法很令人傷感。鉤指帶鉤，是古代男子胸前圓盤狀的飾品，也可作保護之用。偷鉤之人要處死，可是篡奪政權的人卻能成為諸侯，仁義的門面也就大言不慚的擺出來，眾人也會對你歌功頌德。舉個例子來說，齊國本來是姜太公建立的國家，後來田恆（陳成子）弒君，其後代篡齊，直到戰國時代，齊國國君都是姓田或姓陳，古時候這兩個姓氏是通用的。

莊子對亂世有一定程度的觀察和體認，而且像他這麼有智慧的人，不可能每天渾渾噩噩，他不但過得快樂逍遙，還能寫出這麼美的文章讓人欣賞，這就是我們想探討的祕密。

在討論莊子的思想之前，必須先明白什麼叫作深度的虛無主義。前面已經介紹過莊子的背景，現在我們就要把莊子的基本想法鋪展出來，可以歸納為四大主題——第一，人間患難深重；第二，心齋與道契合，也就是修行；第三，外化而內不化，是處世時最具體的方法；最後第四，就是從真實到美感，從真實到欣賞萬物之美。

存在上的虛無主義與生死有關，很多人覺得活著只會受苦，不如死了算了。「死了算了」這四個字就是虛無主義，接下來就讓我們來看看莊子如何談論死亡。

自殺與殺人

先說自殺的例子，第一個是集體自殺。

《莊子・說劍》，趙文王喜歡鬥劍，希望成為天下第一，所以門下聚集了幾千名劍客，有事沒事就決鬥。太子見狀覺得不妥，國家培養出來的武士，卻彼此決鬥，死傷眾多，國勢也因此慢慢衰弱，於是他派人請求莊子出馬解危。

太子看到莊子穿著儒服而來，就跟他說：「你不能穿這樣的服裝去面見大王，你最好做一套武士的服裝。」莊子真的依言花了三天時間做了一套武士服，還佩了一把劍，這才前去晉見趙文王。

莊子說：「臣的劍十步殺一個人，千里之遠沒有人擋得住。」大王一聽，驚訝得心想這絕對是天下第一了。莊子接著又說：「我與人比劍時，總是後發先制。」趙王說：「太好了，等幾天。」他立刻命令門下的劍士們決鬥，又因此死了好多人，最後終於挑選出五、六個身手最好的劍士與莊子比試，比劍前，莊子又說：「我有三把劍，大王認為要用哪一把？」大王心想這個人怎麼毛病那麼多，但還是問道：「什麼劍呢？」莊子回答：「第一把天子之劍，第二把諸侯之劍，第三把平民之劍。」

趙文王是諸侯，當然想知道什麼是天子之劍。怎料莊子根本就不是真的要比劍，而是把國家境內的山川形勢形容得像一把劍，把它治理好就天下無敵。諸侯之劍亦是根據國家的地理條件把它整理好，有這樣一把劍也沒有人打得過。至於平民之劍就是這批互相決鬥的武士對國家毫無幫助。

趙文王聽了相當慚愧，也覺得很震撼，因為他最希望的還是成為天子。後來趙文王準備盛宴款待莊子，可是因為太過激動，怎麼也坐不住，在宴席桌旁繞了三圈。莊子見狀，便道：「大王請坐，我要講的都講完了。」趙文王之後三個月不出宮門，那些劍士始終等不到大王，最後紛紛自殺。

有人一輩子就為了比劍、找祕笈而活，就像武俠小說寫的那樣，最後好不容易練成了武功，卻赫然驚覺沒有武林大會、沒有比武決鬥，最終活不下去而集體自殺了。很多人將人生目標設定在一個顯而易見的外在成就上，到最後恐怕是因為發現它其實是虛幻的而活不下去。

《莊子．列禦寇》中，莊子講了一個讀書人自殺的故事。緩是鄭國人，他學習儒家思想，學成後做官。為官期間他盡力造福百姓，將地方治理得很好，人民也都生活得很開心。他的弟弟學習墨家思想，時常和他爭辯不休，並且父親也贊成弟弟的想法，緩感到很難過，說：「我致力學習儒家，造福鄉里，弟弟還是我出錢讓他去學習墨家，可是他學成後老是與我爭論，父親竟然還贊成弟弟。」幾年之後緩就自殺了。為什麼？因為儒家最重視情感，對緩而言，這等同於父子親情、兄弟手足之情一起幻滅，導致他活不下去而自殺。死後緩還託夢給父親說：「讓你兒子成為墨家的也是我，我死了那麼多年，我墳上的楸樹、柏樹都開花了，你還不來看我的墳墓嗎？」

在《莊子．外物》篇中，那個自殺的故事更離奇。演門這地方有個人為父母守喪，心情哀悽，每天吃素，最後身體消瘦，生命垂危。官府看到這麼孝順的人，就讓他做官。鄉民知道後，紛紛效仿，結果死了一大半的人。因為人生的目標太簡單了，尤其是做官，如果替父母守孝不吃不喝、身形削瘦就可以做官的話，每個人都會想要。這證明很多人對於死亡沒有概念，反正活著也沒什麼希望。

還有一些人死得莫名其妙，《莊子．讓王》中是這麼說的，商湯要把王位讓給卞隨，卞隨說：「你以為我是喜歡當帝王的人嗎？」他覺得太可恥了，於是跳河自殺。後來商湯想把王位讓給務光，務光則說：「我難道是這種人嗎？」而後也跳河自殺。若是這樣的場景換成今日，誰不歡欣鼓舞？然而當時有些人都不喜歡當帝王，甚至覺得受徵詢而深感羞恥，紛紛自殺。

莊子寫這樣的故事毫不手軟，人的生命在那個時代似乎很容易幻滅。《莊子．人間世》有一段描寫顏淵想去衛國幫忙。他的理由是衛國國君正當壯年，行事獨斷，治理國家十分輕率，卻不知是自己的過錯，輕易就讓百姓送死，為國事而死的人，漫山遍野有如亂麻。看到這種描述，會想到與莊子同時代的孟子。孟子是儒家，總是以正面的角度看待人生。他苦勸梁惠王、齊宣王，希望他們善待百姓。他說老百姓「輾轉乎溝壑之中」。因為太餓了，到山上去挖樹根，找樹皮來吃。因此，山溝裡堆滿了因飢餓而亡的百姓屍體。

透過這些故事，我們可以得知古代真有這樣的情況發生。相較之下，我們現在的生活應該算是不錯的了，可是我們還是常常覺得無聊，煩惱要做什麼事打發時間，也不認為自己幸福，即使時代比較太平，我們心中有時候還是很亂。

莊子當然反對戰爭，他認為戰爭是很無聊的事情，這樣的想法體現在《莊子‧則陽》中。魏瑩與田侯牟訂定盟約，田侯牟違背盟約，魏瑩大怒，打算行刺田侯牟。結果大臣們意見不一，惠子為魏瑩引見戴晉人，設法提醒魏瑩。戴晉人說：「蝸牛頭上有兩個角，有一個國家在蝸牛的左角上，名為觸氏；另一個國家在蝸牛的右角上，叫作蠻氏。這兩個國家經常為了爭奪土地而打仗，一打就是十幾天，死了幾萬人。」人的心思可以遨遊於無窮的境界，反觀這塊有形的土地，更顯渺小，也不過是蝸牛角而已。

莊子眼光深遠，明白為爭奪一塊土地而犧牲人命是划不來的。土地是要養人的，如果沒有養人，還為了爭土地而殺人，這不是本末倒置嗎？

富貴暗藏危機

人的自我有追求富貴的欲望，儒家其實不反對富貴，只要手段正當，然而莊子更進一步探討，得到了富貴，就能夠真正享受嗎？

《莊子・盜跖》提到有錢人的六種痛苦：

第一，有錢人聽的是鐘鼓管樂等美好的聲音，品嚐的是牛羊美酒等山珍海味，暢快其心意，遺忘其正業，這是迷亂。

第二，有錢人很容易氣盛，財大氣粗。窮人就是氣虛，看到別人都很客氣，容易諂媚別人。盛氣凌人的人就如負重走山坡，可以說是勞苦了。而比莊子晚了將近兩千年的莎士比亞也說：「有錢人就像一頭驢子，馱著沉重的金幣走完一生。」多累！

第三，有錢人容易生病。貪財而體弱，貪權而筋疲力竭。安靜時就沉溺在錢與權之中，身體強壯時就盛氣凌人，這可以說是患病了。

第四，有錢人不會滿足。為了求富、為了爭利，財富堆積得像牆一樣高也不知收斂，仍然貪得無厭，真是恥辱了。

第五，錢財聚集根本用不完，還刻意迎求而不捨，滿心煩惱還貪求不止，這是憂慮了。有錢人其實也有憂慮，因為他希望更有錢，總是在與全球首富比爾蓋茲相比，那永遠比不完。

最後一個是恐懼，在家裡擔心小偷打劫，嚴密防守；出門時害怕強盜傷害，不敢獨行。

迷亂、勞苦、患病、恥辱、憂慮、恐懼，聽起來簡直是人間最慘的遭遇，但是莊子卻拿來形容有錢人。當然，如果你寧願忍受這種遭遇也要有錢，那就沒辦法了，莊子跟你沒什麼好說的。

人一旦有錢了就有煩惱，那麼做大官呢？似乎也不見得快樂。莊子其實有機會做大官的，因為他學問好、智慧高。《莊子・列禦寇》記載，有人想請莊子出仕，話才剛剛說完，莊子立刻向對方說了一個比喻，莊子很喜歡用比喻的方式來表達想法，尤其是寓言。他說牛活著的時候，吃的是青草大豆，身上還披著錦繡的彩衣。但是一旦到了祭祀時期，被牽到太廟裡去，這個時候就算想做一頭孤單的小牛都來不及了。由此可知，做大官雖然地位崇高，但天天上班也是很辛苦的。

《莊子・秋水》記載，楚國的國君知道莊子很有本事，想請他做官，派了兩位大夫去當說客。那時莊子正在濮水邊釣魚，兩名大夫走到他身後說：「先生，我們國君想請先生負責政務。」莊子聽他們的口音，就猜到他們是楚國人，於是頭都不回就說：「你們是從楚國來的嗎？」兩人聽了回道：「是的。」莊子又說：「你們楚國的廟堂之上有一隻神龜吧！死了三千年，骨頭裝在竹箱裡，蓋上錦繡。請問那一隻烏龜是喜歡死了變成骨頭被人家供奉？還是喜歡活著但能在爛泥堆裡夾著尾巴打滾呢？」兩位大夫聽了立刻回應：「當然喜歡活著在爛泥堆裡打滾。」莊子說：「對，我就是想活著，在爛泥堆裡打滾。」

莊子頭也不回，代表這種情形經常發生。有些國君他很聰明、口才又好，都想延請他做官。莊子有一個朋友叫惠施，他是整部《莊子》中，莊子唯一一個有名有姓的朋友。司馬遷的父親司馬談講古代六家，儒家、道家、墨家、法家、名家、陰陽家，名家就是其中一個學派，而惠施是名家的領袖。名家鑽研邏輯與語言分析，惠施認為天下沒有人辯得過他。若你問他，天比地要高嗎？他會說錯，天跟地是一樣平的，因為高低需要標準，從天來看地，地是高的；從地來看天，天是高的。他的歪理很多，但每每碰到莊子就無計可施。

《莊子・秋水》記載，惠施擔任梁惠王的宰相時，莊子要去看他，有人告訴惠施說：「莊子來這裡，是想取代你的宰相之位。」惠施聽了相當驚慌，下令全國搜索莊子，到處張貼莊子的畫像。莊子反倒主動前去，直接走進宰相府，一看到惠施就說了一個寓言。南方有一種鳥叫鵷雛，從南海飛到北海。這隻大鳥飛翔時，不是梧桐樹牠不停下來棲息，不是竹子的果實牠不停下來吃，不是甘美的泉水牠不停下來喝。但牠飛的時候，底下有一隻貓頭鷹抓到一隻腐爛的老鼠，看到鵷雛飛過去就大叫一聲：「呵！」如今你也想用你的梁國來嚇我嗎？這個寓言非常刻薄，惠施雖然感到不悅，卻也無可奈何，因為他確實擔心莊子會搶走他的宰相之位。

《莊子・則陽》蝸角之爭的故事中，戴晉人應該就是莊子的化名。故事發生在魏國，其首都後遷到大梁，所以又稱梁國。魏國和齊國的國君訂立了盟約，齊國國君卻背叛了約定，魏國國君大怒，表示要派刺客去暗殺齊國國君。將軍公孫衍聽到就說：「不行！我覺得太可恥了，您是國君，怎麼可以用普通百姓的手段呢！我是將軍，我願意率領二十萬大軍去攻打齊國，打得他們片甲不留。」季子聽到卻說：「我反對。兩國之間最好和平相處，我們已經有七年沒有打仗了，這是大王您王業的基礎，現在要是出兵，就等於一下子把築起的七、八十尺高的城牆給弄翻了。」華子聽聞，對於兩人的意見都表示鄙夷：「贊成作戰的是不對的，反對作戰的也不對，說別人不對的也不對。」無論怎麼做都不對，魏國國君也不知道該如何是好，最後惠施知道了，引見戴晉人，戴晉人用蝸牛之角來做比喻，魏國國君認為他說的極有道理，最終便決定放棄攻打齊國的念頭。

身處亂世，即便擁有富貴也不見得快樂，不過就算到了後代的太平時期，很多身處高位的人也不見得能善終。

但求明哲保身

身處亂世，莊子但求明哲保身，然而他這樣的心態及做法，使他的生活陷入極端的困境。

莊子是宋國蒙人，宋國是一個處境非常特別的國家，周朝滅了商朝之後，將其後裔分封在宋國。宋國人是亡國之君的百姓，受到不公平的待遇是可以理解的，若是有人嘲笑宋國人，絕不會受到反駁。莊子曾做過蒙地的漆園吏，吏就是一個小公務員，連官都算不上，就跟孔子年輕時當過委吏一樣。莊子負責管理漆園，漆在古代不是指油漆，而是一種黏劑，蓋房子、製作桌椅都會使用。這種簡單的職位要莊子來做實在太委屈了，且他也不想為五斗米折腰，後來乾脆辭官回家編草鞋。

《莊子・列禦寇》提到，莊子的鄰居曹商代表宋國出使秦國，秦王賞給他一百輛車。他回到宋國，看到莊子忍不住笑他說：「像你這樣住在窮街陋巷中，困窘地編織鞋子維生，我做不到。但是代替大王出使，獲贈很多車子，這是我的本事。」曹商沒有意識到在莊子面前炫耀是一件危險的事，莊子立刻回道：「聽說秦王身體有疾，替他舔治痔瘡就能獲得車輛，你該不會是幫他治了病吧！」莊子幾句話就把曹商形容成是因為卑躬屈膝才得到秦王賞識的低下之人，曹商受過這次教訓後，以後再也不敢在莊子面前多說什麼了。

《莊子・列禦寇》另有記載，有人去拜見宋王，獲賜十輛馬車，他就以這十輛馬車向莊子誇耀。莊子說：「河邊有一戶窮人家，靠編織蘆葦為生，做兒子的潛入深淵，得到價值千金的寶珠。做父親的對他說：『拿石頭來敲碎它！千金寶珠一定藏在九重深淵黑龍的頷下，你能取得寶珠，一定是因為牠正好在睡覺。如果黑龍是清醒的，你還能保住小命嗎？』現在宋國的形勢更勝過九重深淵，宋王的凶猛，更勝過黑龍，你能得到馬車，一定是因為他正在睡覺，如果宋王是醒著的，你就要粉身碎骨了。」這種故事講多了，莊子也不敢去碰政治了，雖然有點自己嚇自己，但也不是沒有道理。

《莊子・列禦寇》提到朱泙漫學屠龍術，耗盡家財學了三年終於學會，但學會之後卻感到困擾，因為他找不到龍可以對付，一身的本事完全無用武之地。這個寓言旨在告訴我們，大的國家就像一條龍，但現在沒有人給你機會，所以學會屠龍術也沒有用。金庸小說中的屠龍刀就是從這裡得到的靈感。

孔子向老子問禮，回到家鄉跟學生說我見到龍了，龍是指老子，乘風雲而上天，但學生並沒有問他什麼是龍，由此可知，龍在那個時候是大家都知道的一種生物。

古代有所謂水官，負責管理水產生物，但是因為龍很難養，養大就飛走。所以水官最後就放棄了，因此這種物種也從此消聲匿跡。

今人對於龍有兩種解釋，第一種是把龍當作神話裡面的動物，龍的身體像蛇，並且與鳥一樣會飛。另一種說法認為龍是長江裡的鱷魚，那種鱷魚叫作長江鱷，牠在水裡翻滾時的氣勢很驚人，尤其下雨之際，牠的動作就好像龍乘著風雲往天上飛去。

莊子生活的時代距離現在已經兩千多年了，他的思想對我們來說頗有距離感。要了解一個人的思想，必須先知道那個人身處的時代背景和他的個性。莊子生性孤僻，書中只有一個朋友是有名字的，即惠施，眾多學生中也只有藺且留下姓名，縱使如此，莊子還是很懂得自得其樂，他的妻子去世後，他鼓盆而歌，這也是很有名的故事。

孟子和莊子是同一時代的學者，可是他們的心境卻大不相同，孟子帶著幾十個學生周遊列國，「傳食於諸侯」，到處吃吃喝喝。他以儒家自居，教導君王行仁政使天下太平，所以我該吃該喝，拿我該有的待遇；但是如果國君不理想，道不同不相為謀，所以孟子在亂世能夠全身而退，最後跟學生們著書立說；莊子則認定我心安理得過日子，過一天算一天，生活非常窮困，在人間沒有任何憑藉。他所開發出來的不是想像世界，而是真實世界，甚至比我們所處的世界還要真實。很多人常說莊子有許多寓言都是幻想，但真是如此嗎？我倒覺得莊子的寓言都是有其涵義的，深入了解，你會發現一字一句都在探討人類社會的問題，有如寒天飲冰水，點滴在心頭。

第二講：身體的困境

《莊子・逍遙遊》提到，北海有一條魚，名叫鯤，鯤非常巨大，不知道有幾千里……。這一看就知道是寓言，畢竟怎麼可能有這麼大的魚呢？莊子的言談自由自在，不受限制，讓人無法具體想像，但他真正想表達的寓意是，魚不能離開水，可是當魚變成了鵬鳥，卻能一飛就飛到九萬里高。

魚不能離開水，就像人不能離開日常生活的條件；變成鳥是指人的生命可以轉化，當然，這裡指的並不是身體的轉化。有些人學習道家，到後來變成道教，道教講究的是修身、煉丹、練氣，但這並不是莊子的本意。莊子描述身體從魚變成鳥，代表所依賴的條件愈來愈少。魚需要水、鳥需要空氣，空氣基本上是無形的，牠的依賴性就少了許多。飛到九萬里高空時，浮力讓你可以很自在的飛翔，不用花費太多力氣，所以大鵬鳥一飛就能從北海飛到南海。

《莊子・逍遙遊》總共有三段寓言故事，其中一個小插曲是小鳩和蟬看到大鵬鳥，嘲笑牠何必飛那麼遠，小鳩甚至說：「我盡全力而飛，飛不遠就算了，何必一定要到這麼高的地方？」這樣的說法就產生爭議了，很多人會認為，既然生下來就是小鳩，又何必要學大鵬鳥？如果會這麼想，就不用讀《莊子》了，故事中的小鳩和蟬指的是認定自己一生就是如此、不會再改變的人，而莊子認為每個人都具有大鵬鳥的潛能，都能成為大鵬鳥，並不是人生下來就確定是大鵬鳥或是小鳩。關鍵在於大鵬鳥是魚變成的，人要改變，這就是化。

追逐生存所需，疲困不已

莊子對生命結構的理解，與現代心理學的角度雷同，他認為生命有三個層次，第一個是「身」，身體；第二個是「心」，心智，代表可以思考、理解及選擇的主體；最後一個則是靈。莊子所謂的靈臺、靈府，指的就是靈。莊子說我們的心可以變成靈臺，像一個平臺，也可以變成靈府，府就是倉庫。無可否認，莊子認為人除了身與心之外，還有「精神」層次，說得更直接一點就是「精神生於道」（《莊子．知北遊》），如果沒有覺悟道，精神就不會出現。

透過莊子對身體困境的闡述，會發現莊子對生命的觀察確實很深入。莊子在第二篇〈齊物論〉中，用一句話充分表達了他的想法——「人承受形體而出生，就執著於形體的存在，直到生命盡頭。」每個人打從出生之後，就執著於自身形體的存在，直到生命結束。一生都想著自己的身體是不是完好無缺，有沒有什麼毛病、有沒有什麼痛苦，這是第一步，沒有人例外。

身體同外在的東西互相較量摩擦，追逐奔馳而停不下來，終生勞苦忙碌卻看不到什麼成就，疲憊困頓不堪卻不知道自己的歸宿，不是很悲哀嗎？身體像一副臭皮囊，最後也不知道該去何處？其實很簡單，回歸於天地，進入墳墓變成骨灰，塵歸塵，土歸土。

客觀來說，人類其實和動物一樣，會經歷誕生、成長、衰老、死亡的過程，最終回歸大地。然而不同的是，人類會去追逐、渴望得到許多身外之物，因而造就了世間複雜有趣的各種現象，但也成為一切煩惱的來源。所以莊子對人生的觀察是相當負面的，有點像佛教所說的「眾生皆苦」，至於該怎麼解決，方法就有所不同了。

以莊子來說，「失性有五，一曰五色亂目，使目不明；二曰五聲亂耳，使耳不聰；三曰五臭薰鼻，困惾中顙；四曰五味濁口，使口厲爽；五曰趣捨滑心，使性飛揚。」（《莊子・天地》）這跟老子「五色令人目盲；五音令人耳聾；五味令人口爽；馳騁畋獵，令人心發狂。」一樣。莊子也說，取與捨皆會讓人迷亂心思，且都跟我們的身體有關。

勾心鬥角，欲望無窮

人生在世，因身體官能造成的困擾已經不少了，但更麻煩的是我們的心思受到官能的影響，產生各種欲望。

人心很複雜，莊子分析人心有四種狀態——第一種是受到身體影響而產生本能的欲望；第二種是勾心鬥角，是自己和他人之間互動的關係；第三種是能夠獨立思考；第四種再往上提升，心展現了精神。

人都有心，具有思考能力，一旦與身體結合，就會形成複雜的欲望。莊子說不可擾亂人心，心本來很平靜，就像一個小孩子本來是很單純的，要是你跟他說了太多複雜的事情，他就會受到影響，心也會跟著變得紛亂。《莊子・在宥》借老聃之口說：「你要謹慎，不可擾亂人心。人心排斥卑下而爭求上進，在上進與卑下之間憔悴不堪，柔弱想要勝過剛強，稜角在雕琢中受傷，躁進時熱如焦火，退卻時冷若寒冰。變化速度之快，頃刻間可以往來四海之外。沒事時，安靜如深淵；一發動，遠揚於高天。激盪驕縱而難以約束的，就是人心吧！」

只要是競賽，沒有人喜歡輸，每一個人都想贏，一直往上奮鬥，追求更高的成就。但這樣一來，競爭就會變得激烈，甚至不擇手段。人在渴望某樣東西的時候，意念是很強烈的，好似心裡有把火在燃燒；可是當你不要那樣東西的時候，又會馬上冷卻，變成有沒有也無所謂，變化之快，好似一剎那間就可以跑到四海之外，就像我原本想吃麥當勞，可是來到店門口，卻決定還是去吃法國料理好了。

《莊子・列禦寇》借孔子之口說：「凡人心險於山川，難於知天。天猶有春秋冬夏旦暮之期，人者厚貌深情。」人的心思確實非常複雜，比山川更險惡、比自然界更難了解。自然界還有四季更迭的規則，可以預測，人心卻不能。很有可能你原本與某個人聊天聊得好好的，氣氛也很愉快，好似春暖花開，但只要不小心說錯一句話，氣氛馬上就會變成嚴寒的冬天。莊子說很多人都是厚貌深情，外表厚實、情感深藏。有誰能真正明白別人的心裡究竟在想什麼？如何能理解別人的情感究竟會怎麼轉變？

以莊子對人的深刻觀察，他提出五種類型的人——

第一，貌愿而益，外表恭敬而內心驕傲。舉例來說，有些人的外表看起來很謙虛，但若是問到其專業的學問，他們就會忍不住驕傲起來。

第二，長若不肖，貌似長者而心術不正。

第三，順懁（ㄒㄩㄢ）而達，舉止拘謹而內心輕佻。

第四，堅而縵，表面堅強而內心軟弱。這樣的人其實很多，只要一碰到他的要害，他脆弱的心馬上就會崩潰。

有五，緩而釬（ㄏㄢˋ），表面溫和而內心急躁。

由上述可知，人的表裡不容易一致。很多人或許會問，為什麼不把內心的想法直接表現出來呢？但老實說，做起來真的沒這麼簡單，要是每個人都毫無顧忌的說出內心真正的想法，這個世界鐵定大亂。人常常都在把話說出口之後才感到後悔，且肢體動作、表情的不同，也會讓說出口的話帶有不同的意思，不過話又說回來，如果每一個細節輕重都要深究，又如何跟人溝通呢？西方有一句名言：「說話是表達你的意思嗎？不一定。你彰顯多少就遮蔽多少。」一個人說的話愈多，遮蔽的也愈多，會讓他人不容易了解自己，要是一個人向來不多話，那麼他開口說一句，就是一句。

《莊子》的第一篇是〈逍遙遊〉，而「逍遙遊」也是莊子的思想中很重要的一個觀念，看似容易達到，但其實並不簡單。莊子因為對人間的實際情況有相當透徹的了解，才得以逍遙，如同魚了解水性；如果了解有限，則逍遙只是一種逃避，像鴕鳥一樣。

《莊子・齊物論》道：「其寐也魂交，其覺也形開，與接為構，日以心鬥。」人們睡覺時心思紛擾，醒來後形體不寧，與外界事物糾纏不清，每天勾心鬥角。這話說得真貼切，我很羡慕莊子形容真人「其寢不夢，其覺無憂」（《莊子・大宗師》），睡覺時不做夢，醒來後沒煩惱，這是多麼美好的人生。一般人都是一睡覺就做夢，一醒來就煩惱，每天都想著好多事情該怎麼處理，所以睡覺時心思紛擾，醒來後形體不安，形體指我們的身體，人終其一生不就是為了這個身體嗎？保養得好一點，必要的時候去整形，整到最後父母都不認識，但別人看著喜歡，自己看著開心，這不是為了身體嗎？就算年紀大了也努力想方設法維持身體的狀況，不過，最後的一關仍舊沒有任何人可以避開。

接下來你或許會問，身體到底想成就什麼？《莊子・大宗師》真是一語驚醒夢中人，「夫大塊載我以形，勞我以生，佚我以老，息我以死。故善吾生者，乃所以善吾死也。」天地用形體讓我存在，用生活讓我勞苦，用老年讓我安逸，用死亡讓我休息，那妥善安排我的生命的，也將妥善安排我的死亡。可究竟是誰妥善地替你安排了生活呢？有誰活在世界上是自己選擇的呢？沒有，既然如此，那你對於死亡有什麼好害怕的呢？換句話說，天地既然安排你活著，天地就會安排你怎麼結束。這就是道家的智慧，看事實的真相。

天地讓你生而為人，有一些目的要在世間達成，譬如要蓋一棟房子、要賺多少錢、要做什麼官，但是真有這種事嗎？這些活動都是機緣配合之後，湊巧有人做這一行、有人做那一行，由於某些小小的因素，你換了一條路走，最後你會意外發現自己怎麼走到了這一步。有時候無心插柳柳成蔭，你不知不覺去做的事，闖出了一片天地，而你苦心積慮去做的，卻有心栽花花不發。

人生很多事情都是因條件配合而產生的，人必須注意情緒的問題，而情緒又跟身體有關。譬如，今天天氣很熱，我變得比較暴躁，這是因為天氣左右了我的情緒。莊子對於情緒的了解，據我所知，古代沒有哲學家能出其右。一般說到情緒，大多會用「喜怒哀樂」這四個字來概括。儒家的經典《中庸》提到：「喜怒哀樂之未發，謂之中；發而皆中節，謂之和。」中代表內在，喜怒哀樂的情緒還沒顯現出來是為中；顯現出來而恰到好處，應該高興就高興，應該悲哀就悲哀，則稱為和。一般人很容易表現過度，就連孔子也曾被學生質疑過。

學生發現孔子對於顏淵過世的悲痛，遠遠超過其喪子時的反應，不免困惑的問：「老師，您是不是哭得太傷心了？」孔子認為自己始終「發而皆中節」，所以完全沒有察覺自己哭得太過傷心，只是很自然的把情感表現出來，所以孔子說：「是嗎，我有哭得這麼傷心嗎？如果不為這樣的學生傷痛不捨，要為誰呢？」學生聽到孔子這麼說，皆感震撼。無論任何人，擁有喜怒哀樂都是很正常的，若是沒有這些情緒，不就成了無情之人嗎？

情緒複雜多變，難以安頓

莊子主張，喜怒哀樂不應影響內心，要讓情緒在適當的時候發洩出來，但也不要過度，一旦過度，很有可能變成憤怒，破壞力就很大。莊子用十二個字來形容人的情緒——「喜怒哀樂，慮嘆變慹，姚佚啟態。」莊子說明的不單單只有情緒本身，還包括隨著情緒波動而衍生出的行為。

莊子先說喜怒哀樂，欣喜、憤怒、悲哀、快樂，再說慮嘆變慹，憂慮、嘆息、反覆、恐懼，最後則談論到姚佚啟態。姚佚啟態是什麼意思呢？輕佻是說一個人放肆，有時候太得意就變輕佻，輕佻接著是放縱，然後張揚。太過於張揚，到處惹人矚目，最後就是忸怩作態，明明想拿還要客氣就是作態。除了莊子，我們幾乎沒聽過有什麼人能用區區十二個字，就把人的情緒跟後續的反應連接起來，我們最多形容人有七情六欲，但七情六欲並不是加起來有十三種不同的情緒表現，事實上有些是重複的，就是某種情帶來某種欲。莊子認為情緒複雜多變，難以安頓，如果人只有身體、血氣、欲望、情緒的話，人生根本不值得一談。

成語「亦步亦趨」出自於《莊子・田子方》。有一次顏淵對孔子說：「老師您慢慢走，我跟著慢慢走；您快步走，我跟著快步走。但是當您奔走的速度極快時，我就望塵莫及了。」顏淵的言下之意是，孔子不說話卻能讓人信任，不親近卻能讓人融洽，沒有爵位卻能讓百姓的心歸於他，他很希望能知道這究竟是什麼原因。孔子教導他，不要執著於所看到的外在行為，要學內在修為。人承受形體而出生，家庭背景如何、受過什麼教育，都不是自己可以選擇的，即使你刻意安排，情況也不見得會依照你的計畫發展，這就是命運。人無法掌握命運，只能順著趨勢往前走。孔子說顏淵和他相處多年，卻仍不了解他，就像在空的市場找馬一樣。孔子說他早就把自己給忘了，也期許顏淵這麼做，要忘卻的就是自己的習慣，不過孔子也提醒顏淵，「吾有不忘者存」，還有那不會消失的東西存在，這才是重點。

人要跟很多人互動，執著於過去只是浪費心力，每個人都應該要把握現在，但是從將來的我來看現在的我，不也是過去的我嗎？所以我們所不忘者，首先就是從身回溯到心。人有身體，是為了讓「心」可以運作，這是人類生命的特色。

心是理解、思考的能力，如果它跟身體完全結合，就會淪為孔子所說的「君子有三戒」，年輕的時候血氣未定，戒之在色。身體怎麼會好色呢？好色的是心態。壯年的時候血氣方剛，戒之在鬥。身體怎麼會好鬥呢？也是心態作祟。最後血氣既衰，還要戒之在得。貪得無厭，代表人的心受身體擺布，根本就是身體的奴隸，心應該作為身體的主人，這是基本的原則。簡單來說，我明明想拿這個東西，可是我的心說不能，那我就要讓身體遵從我的心，讓我的心可以發號施令，否則我的心會成為身體最好的幫凶，身體一旦有什麼欲望，我的心就會跟著設計，變成與人勾心鬥角了。道家強調身體是一個必要條件。什麼叫必要？就是非有它不可，且有它還不夠。人活著一定要有身體，但是光有身體還不夠，莊子跟老子一樣，強調過於保養身體反而是傷害身體，會產生嚴重的後遺症。

老子提過一個問題，老百姓為什麼不害怕死亡？因為他們活著的時候沒什麼樂趣，加上看到當權的人重視養生，吃穿用度皆上等，反觀自己根本沒有所謂的生活品質可言，於是愈看愈難過，因而覺得活著沒有什麼意義。所以在上位的人愈重視養生、愈重視軀殼，人民對自己就愈覺得沒有希望。

另一方面，太過重視養生可能會對生命帶來危害，營養過剩是嚴重的問題，因為富貴、肥胖而造成的身體疾病太多了。若是一個人只在乎身體，實在太可惜了，這不是生命應該有的發展。

還記得〈逍遙遊〉嗎？魚沒有水不能生活，就如同人活在世界上，沒有了物質資源，也無法生存。可是當魚變成鳥之後，只需要空氣，而我們將心智展現出來之後，就跟大鵬鳥一樣。什麼叫空氣呢？就是我們心智的三種能力「知、情、意」。知代表觀念、資訊、知識；情代表情感；意代表意志。它跟身體某些地方相同，不能離開外在，人有感情，但不能沒有對象；想要讀書，不能沒有書本教材；要做選擇、做決定，不能沒有相對應的外在世界。所以，空氣指的就是所有一切相關的東西。

常常有人這麼問我：「念哲學有什麼用？」我的答案只有一個：「無用之

用是為大用。」「無用之用」這句話出於《莊子・外物》。很多人聽到這樣的答案會覺得不以為然，認為念哲學明明就沒有用，怎麼可能還有大用？甚至認為是我誇張了。既然如此，我就簡單說明一下什麼是無用之用。

惠施對莊子說：「你的言論都是無用的。」莊子說：「懂得無用的人，才可以同他談有用。譬如：地，不能不說是既廣且大，人所用的只是立足之地而已。但是，如果把立足之地以外的地方都挖掘直到黃泉，那麼人的立足之地還有用處嗎？」惠施說：「無用。」莊子的意思是：立足之地之所以有用，是憑藉其他無用的地方才有用的。我們把時間與空間也考慮進來，就會發現莊子的智慧是很特別的。

這時必須再提到大鵬鳥的比喻，莊子描寫小鳥嘲笑大鵬鳥，是為了對比出小知與大知，然而魏晉時期的郭象似乎有所誤解，以「小大各適其性」來解釋。莊子如果是為了那些本來就是大鵬鳥的人而寫的話，那他們不需要看《莊子》，就已經是大鵬鳥了。所以莊子的用意在於說明「小知不及大知，小年不及大年」的道理，小的知識不如大的知識，小的壽命不如大的壽命。小大固然是相對的，但是相對裡面也有發展的過程與目標。莊子亦表示，「齊」代表平等，萬物都平等的理論稱作「齊物論」，不過你或許又有疑問了，既然萬物皆平等，我們又何必辛苦奮鬥呢？我必須說明，莊子不是主張人不要奮鬥，他是希望破除人類中心主義，人類不要自以為自己是最偉大的，這樣才能與萬物互相欣賞。

回過頭來，我們再討論郭象所謂的「各適其性」，假設一個人本就素行不良，所以他貪汙、詐騙都沒關係，這算是各適其性嗎？這還能算是莊子的哲學思想嗎？如果稍微了解學術界對莊子的研究，會覺得很有趣。有些人居然把莊子的思想說成植物人哲學，他們認為莊子強調最好不要有感情，跟植物人差不多。

莊子說：「人最好是無情。」惠施說：「人怎麼可能無情呢？」莊子說：「我不是這個意思，我的意思是，不要讓好惡之情傷害內在的生命。」這段故事出自於《莊子・德充符》，透過莊子的回答，我們得以一窺他的想法。情感受外界所引發，適當加以表達就好，不要為了喜怒哀樂、慮嘆變慹等，傷害內在的生命。譬如，早上起來，因為家裡很窮而煩惱了一天，那這一天不是浪費了嗎？莊子說得灑脫，但他也有煩惱，他有妻兒要照顧，可因為生活窮困，他必須編草鞋、上山砍柴，看來有些委屈。

《莊子‧山木》有一段大家熟悉的故事，莊子到雕陵的栗園裡遊玩，看見一隻奇怪的鵲鳥從南方飛來，牠的翅膀張開有七尺長，眼睛直徑有一寸大，牠飛翔時擦碰到莊子的額頭，而後才停在一棵栗樹上。莊子說：「這是什麼鳥啊？翅膀大卻飛不遠，眼睛大卻看不清。」他提起衣裳快步走過去，手握彈弓守候在一旁。這時他又看到一隻蟬，躲在樹蔭下，自以為很安全，忘了自己還有身體；一隻螳螂躲在隱蔽的樹葉中，準備捕捉蟬，見到利益就忘了自己還有形軀；鵲鳥盯著螳螂正要下手，見到利益就忘了自己是隻大鳥。莊子心生警惕說：「啊！萬物就是這樣互相牽累，因利害而一個招惹一個啊。」他扔下彈弓，轉身離去，這時栗林的守園人以為他是來偷栗子的，追在他身後責問。莊子回到家後，心裡還是感到不痛快，足足有三天沒有出門，弟子藺且於是問道：「老師為什麼這幾天都不出門呢？」莊子說：「我留意外物的形軀而忘了自身的處境，看多了濁水反而對清水覺得迷惑。我曾聽老師說過：『到一個地方，就要順從那兒的習俗。』可我日前在雕陵遊玩而忘了自己還有身體，讓怪鵲擦過我的額頭；在栗林遊玩而忘了自己是誰，讓守園人以為我是可恥的小偷，我就是這樣才不開心的啊！」

藉由這些故事，我們可以看出莊子生活的細節。像是在《莊子・齊物論》一個非常有名的故事「莊周夢蝶」。從前莊周夢見自己變成一隻自在飛舞的蝴蝶，十分開心得意，不知道還有莊周的存在。忽然醒過來後，發現自己就是一個僵臥不動的莊周。不知道是莊周夢見自己變成蝴蝶呢？還是蝴蝶夢見自己變成莊周呢？莊周與蝴蝶一定各有自然之分。這種夢境所代表的，就稱為物我同化。

西方也有類似的故事，有一個國王和一個牧羊人，每天睡覺的時候，兩人就會做夢互換身分，到後來國王幾乎都不敢睡覺了，牧羊人卻很喜歡睡覺。莊子問的問題不是跟這個類似嗎？

很少人能夠清楚解釋「物我同化」，宇宙萬物是物，都是氣的變化，所以人活在世界上，遭遇各種困擾的時候，要記得「身體不斷在變化之中」，從年輕、到年老生病，再到最後結束，這一方面人跟萬物都相同。人生的關鍵就在於認清莊子和蝴蝶必然不同，有其自然的分別。像孔子勸顏淵不要在空的市場尋找馬，他說：我雖然可以忘記過去的一切，但是我有不能忘的東西，我們要擺脫身體的限制，進入到心智這個更高的層次。不過莊子不忘提醒眾人，心智會造成什麼困難。一般人也許很難想像，像道家這麼超越的思想，居然對於人的身體結構功能、運作模式以及它帶來的困擾、危機，甚至人的心智在思考時有什麼問題，都分析得這麼詳盡。如果沒有掌握住這些重點，直接談莊子的「逍遙遊」，就很難充分理解。莊子是哲學家，從來沒有忽略人的真實生命，唯其如此，才能夠真正成就逍遙之遊。

第三講：心智的茫然

人的特色是具有認知能力，老子對人的問題就是從認知著手，他認為人為了生存，必須分辨利、害、好、壞，而後會產生欲望，爭奪比較好的東西，畢竟物以稀為貴，然而這麼做反而會造成負面的後果。

第二步是把區分提升到避開災難。透過別人的經驗、歷史的教訓，知道在什麼情況下會有災難，就先避開它。很多人在長期的觀察與豐富的體驗之後，可以做到這一步，但這樣還不夠。

第三步是啟明。也就是能夠覺悟，從整體的道來看待一切，這是道家修行的目標。

人類中心的價值觀是虛妄的

莊子認為，人的認知首先表現在人類中心的價值觀。通常我們認為什麼是好的、什麼是壞的，是以人做中心。在《莊子・齊物論》中，從舒服的住處、可口的味道、悅目的美色三方面來進行分辨。

以舒服的住處而論，猴子住在樹上很舒服，人就受不了；但若要猴子睡沙發床，牠肯定也無法接受。莊子用各種方式來諷刺儒家強調禮樂教化，試想，如果讓猴子穿上周公的衣服，那不是很荒謬嗎？孫悟空要是穿上人的衣服，也一定會想要把衣服撕成碎片。所以，何謂舒服的住處？對猴子來說是樹，對泥鰍、對魚而言是池塘，各種生物都不同，因此不要以為人所認為的好就是好。

再以可口的味道而論，人當然喜歡吃調理過的美味料理，但是烏鴉吃蚯蚓，蜈蚣吃小蛇，麋鹿吃青草，每一種動物都有自己喜歡吃的東西。

《莊子・至樂》講述了一個故事，有一隻海鳥飛到魯國郊外，魯侯把牠迎進太廟，送上好酒款待，為牠演奏《九韶》樂曲，宰殺牛羊豬作為膳食，可是海鳥卻目光迷離、神情憂戚，不敢吃肉，也不敢喝酒，結果三天就死了。

若是以現代的醫學角度來看，這隻海鳥恐怕是得了憂鬱症，說真的，只要是跟人生活在一起的動物，很容易得到這樣的病。有些主人一到冬天，就替家裡養的小狗穿衣服，這隻狗發現別的狗沒穿衣服，反而覺得奇怪，最後這隻狗還得看心理醫生，這都是被人所害。這就是典型的用人的標準來衡量其他動物的需要。所以莊子說，為了鳥好，讓牠自由飛翔吧！遨遊於江湖之上，棲息在山林之中，這樣做多麼自在。要對一樣東西好，要用適合它的方式；要對一個人好，要用適合他的方式。教養子女或孝順父母也是如此，如果不了解對方的需要，只是一廂情願，反而會適得其反，人跟人相處的困難就在這裡，要了解與判斷對方的想法確實不容易。人跟人相處有時候缺少的不是誠意或善意，而是智慧，沒有智慧，好人跟好人之間也會發生誤會，甚至導致悲劇。

最後以悅目的美而論，「東施效顰」這句成語出自《莊子・天運》，美女西施有心絞痛的毛病，每次一發作她就會捧心皺眉，鄉裡有個叫東施的醜女，某次看到西施這副楚楚可憐的樣子，心想要是學她這麼做，自己也可以變美，便模仿起西施的病態，卻沒想到富人見到她，緊閉門扉不出來；窮人見到她，帶著妻子兒女遠遠避開。醜女雖然知道捧心皺眉很美，卻不知道為什麼很美。

《莊子・齊物論》中提到兩位大美女，毛嬙和麗姬，毛嬙沒有什麼特別的事蹟，麗姬倒是值得一說。麗姬的父親本是駐守邊疆的官員，她從小就住在邊疆，沒見過什麼世面。某次晉國的國君來巡視，看上了美麗的她，要把她帶回宮中，她得知消息後，哭得非常傷心，不想離開，淚水甚至沾濕了衣襟。可是當她跟著大王回到宮中後，兩人一起享用山珍海味，睡在舒服的床上，這才後悔以前不應該哭。

莊子當然不會認為死亡是好事，不然誰還願意活下去呢？他只是說「予惡乎知惡死之非若喪而不知歸者邪？」（《莊子・齊物論》）我怎麼知道怕死不是像幼年流落在外而不知返鄉那樣呢？人活在世界上，怎麼知道死亡不是回家？所以何必傷心，它是自然的運作。

每一個看到毛嬙、麗姬的人，都說她們是美女，但是魚看到她們，就沉到水中，鳥看到她們，也往天空飛得更遠，為什麼？真正的魚一定是覺得另外一條魚才美，真正的鳥一定覺得另外一隻鳥才美。麋鹿看到這兩大美女跑得跟逃命似的，這說明人類中心主義向來以為人類的價值就是普遍的價值。事實上不然，人類的價值是人類訂的，對其他生物來說，根本毫無意義，這就是道家要打破人類中心的一種想法。

儒家講求人文主義，思考模式以人為中心，認為要先把人照顧好，推行仁政，讓百姓可以真誠行善，好好過日子。道家則質疑如何規定什麼叫善，以及由誰來規定，因為不同時代、不同地區，對於善惡的標準多少都不太一樣，所以道家認為儒家的想法是不可能的任務。

姑且接受《莊子》一書所撰寫的內容可以代表莊子本人的想法，你會發現，其實莊子很尊重儒家，整部《莊子》對孔子的嚴厲批判只有幾句話而已，主要見於〈盜跖〉，不過連蘇東坡都認為那是假的。那幾句話比較偏激，應該是莊子的後學，有些人很討厭儒家，就遷怒於孔子。平心而論，孔子有什麼好批評的？一個人一輩子窮困不得志，既不富也不貴，也沒有害人，他宣講仁義你可以不贊成，但不必批評他。《莊子》裡面雖然有幾段批評孔子，但在其他地方都是肯定的，莊子甚至還說過自己比不上孔子（《莊子・寓言》）。

莊子的寫作方式有三個特色，第一，他寫寓言，為什麼寫寓言？他用「親父不為其子媒」來說明。有哪一個做父親的不認為自己的兒子最好，若是父親為兒子作媒，父親的意見對他人來說就顯得不公平，也沒有什麼客觀價值。所以莊子選擇用寓言的方式，讓大家自行思考判斷。

第二，重言，借重古人的話來說明。在《莊子》一書中提到孔子、顏淵多次，堯舜、黃帝，還有虛構得像神仙一樣的廣成子、商湯、周文王都出現過，不過有些真有些假。

第三，卮言，卮這個字就跟漏斗一樣，隨容器而調整改變其形狀。寓言是假托人物故事以明事理；重言是借重人物言論以明事理；卮言則是隨靈感而發，無法拘限（《莊子・寓言》）。

莊子批判人類中心的價值觀時，主要就是針對儒家。莊子認為儒家在許多地方沒有辦法講清楚，因此道家要為大眾開展視野，化解人類中心的執著。哲學是二加一，所謂的二，一個指的是自然界，一個指的是人類，而另外的那個一，指的則是道，也就是超越界。如果一個人只談人類、只談自然界，無法稱之為哲學家。只談人類是歷史學家與社會學家，用各種想像的方式談論人類和自然界的是文學家，而科學家專談自然界。但是，自然界有開始也有結束，人類有生也有死，因此作為哲學家，必須完整而根本的反省，所以一定要談到第三個一，這就是為什麼孔孟非談天不可，老莊非談道不可。不是他喜歡談，而是非談不可，不談就不是哲學。儒家專談人類，自然界只是附庸，《論語》裡面提到的自然界，都是拿來象徵、比喻用的，並不是純粹欣賞，縱使能稍微搆著一點欣賞的邊，描述的也不多，而且還是感嘆，例如，子在川上曰：「逝者如斯夫，不捨晝夜。」（《論語・子罕》）

道家只講自然界嗎？那是誤會，道家對人也很關心，對人有深刻的了解，甚至在表達上遠超過儒家。儒家關心人類，但是對身體並沒有這麼深刻的研究，也未這麼注重人類中心主義所產生的問題，反觀道家，試圖化解人類中心的想法，可以真正欣賞自然界，不過這只是一個階段，最後的目的是要從道來看一切，那才是真正的整體。就像我前面提過對於舒服住處的選擇，人不要只看到自身的需要，還要關心其他生物的需求。

本末倒置，輕重不分

人的心智可能導致本末倒置，輕重不分。本末倒置的問題在外篇提到特別多，莊子指出，老百姓為了求利而失去本性；讀書人為了求名而失去本性；大夫為了家庭而勞累不堪；聖人為了天下而失去本性。這四種人都是為了某些目的而失去本性，只要失去本性，目的再高尚也沒有用。什麼叫失去本性？勞累不堪以致於到最後不但短命早逝，還過得很憂愁。

《莊子・駢拇》講述了一則寓言，一個僕人跟一個小孩去牧羊，僕人拿著竹簡在念書，小孩子玩擲骰子的遊戲，最後羊都不見了，問他們羊為什麼不見了？僕人說我在讀書，小孩說我在玩骰子，但是不管他們在做什麼，都無法減輕丟失羊的責任，也無法改變這個事實。羊代表人生命中真實的需要，羊不見了，意思就是不管你做什麼事，結果都是一樣的，所以不要找藉口，讓自己在生命中勞累不堪地追逐那些不必要的東西，或外在的目標，然而人生的困難正在於此，就是如何分辨所追求的目標是否必要。很少有人可以避開莊子的批評，讀著書忽然覺得慚愧，早知道不要讀了，讀了之後自己挨罵。但莊子不是批評你，而是帶領你進入另一種境界，讓你知道要放棄這一邊，才能通往值得嚮往的那一邊。

我們與人來往的時候，很容易賣弄智巧，智代表聰明，巧代表巧妙。賣弄智巧會發生什麼情況呢？莊子舉辯論為例。他把言語當作風波，但事實上沒有人可以不說話，但說話很容易讓人與人之間產生爭論。

年輕的時候，我就決定這一生不做三種人，保人、媒人和調人。莊子說過「親父不為其子媒」，要是將來兒子、媳婦吵架了，都怪在媒人身上怎麼辦？世上的悲劇不在於好人和壞人的衝突，而是在於好人和好人之間的誤會，畢竟每個人的性格、想法和對未來的規劃都不同。

我的學生描寫他們的生活體驗時，很多人都提到小時候父親替別人作保，後來當事人逃了，父親因此負債幾百萬、幾千萬，從此家中陷入困頓。人是會變的，變的或許是外表，或許是內心，最主要變的可能是觀念和想法。要好好把握住變的趨勢，我們在變的同時，就等於給別人暗示，彼此之間如果太大意而忽略這些訊息，到最後恐怕不容易繼續做朋友。

調人就是調解。張三跟李四吵架，我不做調人，因為這種調解往往是非不分。莊子在〈齊物論〉就有一段專門講述為什麼不能調解。假設你我進行辯論，辯贏的一方一定是對的，而輸的那方一定就是錯的嗎？又假設我們要找一個人當裁判，無論裁判贊同哪一個人的想法，他都會因為失去公正性而不具有當裁判的資格；如果裁判對於雙方都持反對意見，那還當什麼裁判？裁判如果贊成我們的意見，那也莫名其妙。所以到最後，兩個人辯論，天下都沒有人可以當裁判，沒有任何人可以透過辯論來理解任何問題。

這段話有其道理，兩方和解，通常是其中一方選擇忍耐。上海有名的黑幫老大杜月笙，他專門出面替人調解，常會說一句很重要的話，「看我的面子」，但問題是你的面子夠大嗎？況且你說出口，別人就一定要照做嗎？我會心生不要做調人的想法，也是受到莊子的影響。

賣弄智巧，錯失大道

莊子對於心智的運作，先探討及批判了中心主義，接著提醒我們不要想求得客觀公正的真理，或判定絕對的對錯，因為這是不可能的。現在則是要說明不要賣弄智巧。

《莊子・人間世》提到孔子勸顏淵不要干涉其他國家的事務，《莊子》中提到的顏淵，跟我們看《論語》所認識的顏淵完全不一樣。《論語》裡的顏淵，上課從不發問，下課努力實踐，只看到他的進步，沒看到他停下來，他短暫的一生苦得不得了，一簞食，一瓢飲，在陋巷，我們以為他很苦，但是他很快樂。可是顏淵在《莊子》一書中，搖身一變，變成喜歡管事，積極主動，經常向孔子商量請教問題，是個非常有趣的人。他聽到衛國政治不好，就跟孔子說要去衛國幫忙，與孔子討論的那一段連續好幾頁，提出各種方法，「內直而外曲，成而上比」，最後還要「心齋」。但是孔子卻勸他不要去，理由是因為很難把事情做好。

當兩國國君要成為朋友的時候，傳話的使臣常有溢美之詞，說出美上加美的言語。縱使對方沒有那麼好，你也會誇大其詞將對方形容得更好；然而有溢美就有溢惡，兩國如果要斷交，就會出現溢惡之詞，縱使對方沒有那麼糟糕，你也會不自覺加重語氣。如果要跟別人建立合宜的關係，一定要找適當的言論，是什麼說什麼。但是哪一個人言談之間不會加幾句自己的感覺，減幾句自己的想法，加加減減，最後問題發生時，情況就會變得很複雜。

莊子非常了解這種複雜的情況，對人際關係也觀察得十分透澈。他沒有做過大官，但是他對於官場上權力的傾斜相當了解。遊說一國國君，就算你講了九十九句都是對的，但是只要有一句話講得不太對，就會讓對方立刻抓住這個漏洞反駁。因為國君見多識廣，也不見得是個笨人，這個時候你會如何反應？你的目光會轉為迷惑，臉色變得柔和，說話瞻前顧後，態度也變得比較恭順，因為你確實被他抓住一句話的把柄，而他身為國君的權力馬上就會彰顯出來。因為權力不均等，所以最後你就只能順從了。莊子說這叫「以水救水、以火救火」，結果反而增加對方的威勢。所以人跟人相處，像這樣的情況，就是在心智上賣弄智巧，問題只會愈來愈複雜。

莊子提到人類社會的變化時，連續講了三次的墮落。黃帝以前是天下合一的狀態，黃帝之後則可以順應自然，從合一到順應。合一是完全沒有區分，自然而然很和諧。莊子認為最早的時候沒有任何東西存在，就是《老子》第二十五章所說的「有物混成，先天地生」。有一個渾然一體的東西，在天地出現之前就存在了。天地是已分的結果，「道」是一個渾沌未分的整體。道之先於天地，並非時間上的先後，因為天地之前無從計較時間久暫；而是邏輯上的先後，亦即天地非由自生，所以需要一個「自生者」為其基礎。第二個階段，有東西存在但還沒有區分。到第三步區分了，這是地球，那是太陽，這是人類，那是其他生物。第四步區分之後造成是非，誰對誰錯，誰好誰壞。這不是每下愈況嗎？

「每下愈況」語出《莊子・知北遊》，是莊子談「道」的時候提出的，之後會再說明。這四個字，經常被誤用成「每況愈下」，從字面上即可明白意思就是情況一次比一次糟糕，現在有人主張回歸莊子所說的「每下愈況」。

東郭子請教莊子說：「所謂的道，在哪裡呢？」莊子說：「無所不在。」東郭子說：「一定要說個地方才可以。」莊子說：「在螻蟻中。」東郭子說：「為什麼如此卑微呢？」莊子說：「在雜草中。」東郭子說：「為什麼更加卑微呢？」莊子說：「在瓦塊中。」東郭子說：「為什麼愈說愈過分呢？」莊子說：「在屎尿中。」東郭子不出聲了。莊子說：「先生的問題，本來就沒有觸及實質。有個市場監督官，名叫獲的，他向屠夫詢問檢查大豬肥瘦的方法，要觀察下部最不易長肉的小腿部分去試，此處肉愈多，這隻豬就愈肥。」

這個故事告訴我們，人不要執著在某個地方，萬物都是無法逃離的。至高的道是如此，偉大的言論也一樣，描述「道」時，就是肯定任何卑微的地方，只要你踩得到（說得出名目），就有道存在其中。

大家都知道「朝三暮四」是講猴子的故事，但是就像「每下愈況」真正的用意不是在講如何分辨豬的肥瘦，而是在講「道」，朝三暮四也是如此。《莊子・齊物論》有一段提到，人們費盡心思去追求一體，卻不知萬物本來就是相同的，這就是「朝三」。有一個養猴子的人拿栗子餵猴子，說：「早上三升，晚上四升。」猴子聽了都很生氣。他便改口說：「那麼早上四升，晚上三升吧！」猴子聽了卻高興了起來。名與實都沒有改變，而應用之時可以左右猴子的喜怒，這也是順著狀況去做啊！所以聖人能夠調和是非，讓它們安頓於自然之分，這就是「兩行」：是非並行而不衝突。

莊子為什麼講這個故事？三加四等於七，四加三也等於七，總數是七，猴子為什麼一開始生氣，後來又高興了？其實這不是一個算術問題，而是告訴我們，在整體裡面，不要因為某些得失而產生情緒反應。人最怕的是情緒反應，了解整體之後，情緒就沒有反應的空間。

假設我告訴你，你年輕的時候很窮，可是將來老的時候會變得很有錢，整體來說，你就會曉得窮的時候不要抱怨，有錢的時候不要得意。反之，若我說你年輕時很有錢，老的時候會很窮，你就會想，年輕時候有錢不要囂張，老了之後窮困不要難過，這是一樣的意思。

但是莊子講的不只是人的生命整體，他講的是道。道就是整體，整體是一樣的，無須嫌多或嫌少。有些人覺得身為男人很委屈，有些人卻認為身為女人才委屈，但不管是男是女，那些天生有殘疾之人，不是更委屈嗎？

人生在某方面受到了委屈，在其他方面卻能有所得，在《莊子》一書中，至少有五、六個人都是腳被砍掉依舊很快樂的，因為他們的腳被砍掉了之後反而覺悟了，覺悟什麼？用一句話來說，腳被砍掉就像一塊泥土在地上一樣自然，你能想像嗎？一般人別說一隻腳了，就算一根腳趾頭都捨不得失去。

《孟子‧告子上》提到有個人的無名指彎曲而不能伸直，雖然既不疼痛也不妨礙做事，但如果有人能夠幫忙醫治，千里之遠他也會想辦法去。手指不如別人，還知道厭惡；心思不如別人，卻不知道厭惡，這叫不知輕重。別人都追求仁義道德往上走，你的心只知道追求富貴往下沉淪，你怎麼不會不好意思？因為心是看不見的，所以很多人只知道去注意外表，這真的是一種迷惑。

蘇格拉底時代的希臘社會，男同性戀風氣盛行，甚至還有人說柏拉圖是同性戀，真是不了解當時的情況。男人跟男人之所以往來緊密，是因為當時的男人負責對外打仗，互相合作，彼此間的情感是很深厚的，可謂生死之交，再加上政治活動都以男性為主，他們又有受教育的機會，所以男性構成了一個團體，因而造就了男同性戀的現象。希臘時代的哲學家很少描述女人的美麗，大部分都是在討論男性的美麗。

蘇格拉底走上歷史舞臺時，已經五十幾歲了，別人說他矮矮胖胖的，頭髮禿了，眼睛像銅鈴一樣，耳朵是招風耳，蹲在那裡像一個酒桶，走起路來像一隻水鴨，實在不怎麼美。但是外表愈醜，學生愈喜歡他，為什麼？因為醜陋的外表反而襯托出內心的美好。

有一位美男子叫作阿西比亞德，他是蘇格拉底的學生，曾試圖勾引蘇格拉底，但每一次都失敗。蘇格拉底對所有的美男子都說一句話——「你長得真美，但是如果你的心靈跟你的外表一樣美，那有多好。」這話講得多麼精采，這就是哲學家。每一個年輕人聽到這句話都覺得很震撼，認為自己要修養心靈，因為外表的美是相對的，這個城邦說你美，換一個城邦會說別人美，因為每一個地方對於美的評判標準不一樣。

如果只沉迷於外在的美麗，總會遇到臨界點，一旦跨過就是不歸路，江河從此向東流，只好承認自己已經過期了，何必呢？人怎麼可能光靠外表過一輩子，當然要仰賴內在，因為內在才是一個人心智發展的重點。但內在也有其困難，因為心智會造成許多錯誤的觀念。所以莊子提醒我們，第一，要把人類為中心的價值觀當作相對的，不要執著。我覺得這裡風景好，不要認為蜜蜂也會覺得好，我覺得好的不要認為別人也會覺得好。

第二，不要本末倒置、輕重不分，不管是為了什麼理由，都不應該為了完成想要追求的目的而傷害自己的身體，道家希望每個人都能度完自然的壽命，但道家並不是要我們從今天開始每天躺著不做事，以求活得更久一點，而是希望人們盡量不要為了某些外在的利益，讓自己過度勞累，要清楚了解自己的限制。一個人只有了解自己的限制，才能發揮自己的能力。如果不知道自己的限制，過度之後收不回來，人的身體會討債的，年輕的時候使用過當，到了某個時期，身體就會發出警訊。

另外就是防備不真實，道家強調絕對真實，才是一個真正的人，不要為任何目的讓自己變得虛偽，道家最討厭虛偽了。莊子要人弄清楚本末輕重，本跟重是生命的完整，雖然有些人因為被人冤枉或生病失去了一條腿，但是如果能保住自己的內心，依然是個完整的人。

外在的身體可以化解，內在的心智要有正確的價值觀，就不會像莊子說的，從合一的境界變成勉強隨順，最後變成互相競爭，用法律也無法安定下來，這就是亂世。

第三，盡量不要賣弄智巧。與人相處，言語就是風波，無風不起浪，所以在說出任何話以前，就要先想好可能會造成什麼後果，道家主張多說不如少說，少說不如不說，可是不說話，人跟人要怎麼溝通？真正的好朋友「相視而笑，莫逆於心」，根本無須言語。

主題二：心齋與道契合

第一講：心齋的修練

我簡單說明「心齋」在《莊子・人間世》出現的背景。

莊子很喜歡借重古人的話來表達自己的思想。《莊子》書中所描述的顏淵非常主動、積極，樂意實現自己的理想，他聽到衛國的國君年紀輕輕，但是對百姓不好，很想去提供一些建議。孔子知道後，認為這樣太危險了，因為別人既不認識也不信賴你，而且你講得愈好就愈危險，因為這麼做反倒會把衛君的錯誤凸顯出來。

有時候你對別人說一些有意義的話，但他人的修行未到一定標準，因此覺得很刺耳，以為你諷刺他，故意提出好的理想讓他感到慚愧。所以孔子就勸顏淵小心一點，要準備充分，顏淵便將自己能想到的辦法都提出來了。

第一，內直，直代表真誠，我的內心很真誠，像一個小孩子一樣。我把國君看成自然的嬰兒，我也是自然的嬰兒，這樣一來我們都是自然的孩子，所以不會有什麼面子的問題。

孔子說這樣不行，你對他坦誠，他不見得有同樣的體會。

第二，外曲，別人如何做我就怎麼做，見到國君磕頭、鞠躬、跪拜，我完全合乎禮儀，這樣國君不至於見怪於我。

孔子說這樣也不行，他心中若是有所懷恨，你再怎麼恭順都沒用。

第三，成而上比，向古人學習，引用古人的話。向國君建言時，我不提出自己的想法，而是把古人好的意見提供給國君參考。

孔子說這樣還是不行。

不管顏淵提出什麼方法，孔子都覺得不適合，導致顏淵也不知道該怎麼辦才好。最後孔子說，你守齋吧。顏淵說，我家裡很窮，已經三個月沒有吃肉、沒有喝酒了，老師還叫我守齋？孔子說，我要你守的齋不是飲食方面的齋，而是心齋。

吃飯守齋就是不要吃肉、不要喝酒，心要守齋代表不要有妄念，不要有各種欲望情緒，去掉各種成見，讓心愈來愈單純，到最後沒有任何雜念。大家也許知道莊子的修養方法就是心齋，但是究竟該麼做呢？

以「氣」取代耳與心：虛

莊子的解釋是，聲音不要用耳朵去聽，而是要用心去聽，更要用氣去聽。

第一，用耳朵只能聽到聲音。譬如，演奏音樂的聲音、汽車發動的聲音。

第二，用心去聽，只能了解現象。譬如，你說外面有一架飛機，我聽了就知道外面有什麼現象。

第三，用氣去聽是虛而待物。我的心要空虛而準備回應萬物。代表我沒有任何成見，外面有什麼，我就讓它現出原形原狀原貌，我的心好似變成一面很乾淨的鏡子，能夠照映萬物的真實狀態。

這樣的論點要和〈齊物論〉的人籟、地籟、天籟連結在一起。南郭子綦靠著桌子坐著，抬頭向天，緩緩吐氣，神情漠然得好像忘了自己。顏成子游侍立在旁，請教他說：「這是怎麼一回事？形體固然能讓它如同槁木，難道心神也可以如同死灰嗎？您今天靠桌而坐的神情，與從前靠桌而坐的神情不一樣啊！」南郭子綦說：「偃，你問得正好！今天我做到忘了自己。你聽說過人籟，卻不曾聽說過地籟；即使聽說過地籟，也沒有聽說過天籟吧！」

「形若槁木，心若死灰」在《莊子》至少出現了三次。這個老師的修行，身體像枯槁的木頭，枯槁的木頭就是不會發新的芽、不會長新的葉子了。心若死灰，死灰指的是一個東西燒成灰之後又用水澆熄，不會再復燃。身體像槁木一樣，心像死灰一樣，那還算人嗎？所以老師的神情，學生覺得很特別，就請問老師怎麼回事。

老師此時轉移話題，問說，你知道什麼叫天籟嗎？

籟是一種樂器，用竹子做的，有一點像笛子，是中空的。凡是用竹子做成、中空的樂器，統稱為籟，可以吹奏。

什麼叫人籟？人籟就是人發出的聲音，人發出的聲音一定含有某種目的，要告訴你某種涵義，因此人籟聽久了會累。我們上課只要超過三十分鐘，很多人就覺得好睏，忍不住想夢周公。聽課之後以為懂了，但說不定聽錯了，不然為什麼考試的時候每個人分數不一樣？這說明人籟的限制很大。演奏的音樂也是人籟，一個小朋友如果隨便按壓鋼琴琴鍵發出聲響，那不是音樂，而是隨便亂彈。只要演奏有旋律、節奏、布局，聽的人就會有壓力。他在演奏什麼？形容大自然的美嗎？還是在形容某種心理上的境界？所以，再好聽的音樂，買一片CD回家聽十遍也受不了。聽音樂的時候要完全跟它合而為一，享受樂曲的美妙旋律，這並不容易。所以人籟就是人所發出的聲音，因為有目的，所以會給人壓力。

何謂地籟？莊子用了一長段非常美的文字來形容——「大地吐出的氣息，名叫風。風不發作則已，一發作，則萬物的竅孔都跟著怒號。你難道沒聽過狂風呼嘯的聲音嗎？山陵中高低錯綜的形勢，百圍大樹上的大小竅穴，有的像鼻子，有的像嘴巴，有的像耳朵，有的像瓶罐，有的像瓦盆，有的像石臼，有的像深池，有的像淺窪。發出聲音時，有的像湍水沖激，有的像羽箭離弦，有的像喝斥，有的像吸氣，有的像吶喊，有的像號哭，有的像呻吟，有的像哀嘆。前面的風嗚嗚地唱著，後面的風呼呼地和著。小風則小和，大風則大和；強風吹過之後，所有的竅孔都寂靜無聲。你難道沒看見這時草木還在搖搖擺擺的模樣嗎？」

所以地籟就是由大自然，包括各種生物發出的聲音，像蟋蟀偶爾發出聲音，聽了會覺得很和諧，因為你不覺得需要聽懂其中的涵義，況且它其實不具有任何涵義，只不過是在自然界的條件配合下，就像風吹過任何地方發出的聲音一樣，這叫作地籟。

再來，何謂天籟？莊子卻不加以說明了，只道：「風吹萬種竅孔，聲音各自不同，但都是由竅孔自己自由發聲。一切都是自己造成的，使它們發聲的還有誰呢？」

我們講心齋的時候，莊子說用氣去聽，代表從人籟、地籟到天籟的境界。

什麼是天籟的境界？任何聲音會發出來都有條件，條件相互配合成功，聲音自然就出現了，其目的不在於讓人聽得懂或聽不懂。譬如，我走在路邊，一輛汽車經過時緊急煞車，發出難聽又刺耳的聲音，但是在我聽來卻像天籟，因為一定是有條件配合才能發出聲音，所以聽到聲音就像沒聽到聲音，這就是天籟。所以同學們上課時，如果想聽天籟的話，就是老師問你聽懂了嗎？聽懂就是聽不懂，聽不懂就是聽懂；老師有沒有說話？有聲音就是沒聲音，沒聲音就是有聲音，這代表你抵達心齋的境界了。

莊子為什麼講氣？宇宙萬物在古人看來就是氣。道家的道是一個整體，宇宙萬物就是道的力量在運作，在我們來說也就是氣的變化。所以用氣去聽，代表不要有自我，當你把自我意識化解後，天地無限寬廣。人的痛苦大部分來自於自我的執著，拘泥於什麼是屬於我的，什麼又不是屬於我的，可是一比較之後，非我永遠比自我大千萬倍，屬於我的永遠是極少數。一旦把自我的界限去掉，就沒有什麼屬於不屬於可言了。

天地是一個整體，所以在探討心齋的時候，必須提到「虛」這個字。虛這個字具體落實的時候，我們可以用「忘」來解釋。講莊子的思想，常常把心齋和坐忘連在一起。坐忘就是坐在那裡忘記自己是誰。

《莊子．大宗師》記載，顏回說：「我有進步了。」孔子說：「怎麼說呢？」顏回說：「我忘記仁義了。」孔子說：「不錯，但還不夠好。」過了幾日，顏回又去見孔子，說：「我有進步了。」孔子說：「怎麼說呢？」顏回說：「我忘記禮樂了。」孔子說：「不錯，但還不夠好。」過了幾日，顏回又去見孔子，說：「我有進步了。」孔子說：「怎麼說呢？」顏回說：「可以坐忘了。」孔子驚訝地問：「什麼是坐忘？」顏回說：「擺脫肢體，除去聰明；離開形骸，消解知識，同化於萬物相通的境界，這樣就叫坐忘。」孔子說：「能同，就沒有什麼偏私；能化，就沒有什麼執著。你真是了不起啊！我也希望隨你一起努力。」

由前文可知，修練有三個步驟，第一步，忘記仁義；第二步，忘記禮樂；第三步就是坐忘了。仁義是我有心做好事，禮樂是我有心維持社會上的人際關係，把這兩個都忘記的話，就變成像小孩子一樣了。人年紀還小的時候，還無法完全理解要做好事的道理，但他看到別人高興自己也高興，別人難過自己也難過。許多報導都說小孩子很有同情心，就認為人性顯然有其善良的一面。但是這幾年專家的研究更深入了，指出小孩子從兩歲半進幼稚園就會勾心鬥角，還說女生比男生更早。這說明小孩子太早被大人所同化，如果按照孩子的本性發展，應該是無憂無慮的。莊子很喜歡描寫小孩子天真的樣態，不過以現今社會來看，這樣的情景恐怕愈來愈少見了，畢竟這個時代，有很多事情都變得很快。

《莊子》一書中，認為顏淵的修養比孔子的還要快速，顏淵說的坐忘其實很簡單，只有兩個步驟，第一，忘掉我的身體，第二，忘掉我的聰明。人類就是這兩個問題，身體和心智。把身體忘記，身高多少？體重多少？我今年幾歲？把心智忘記，念過什麼書？懂什麼道理？統統忘記。最後四個字「同於大通」，同化於萬物相通的境界。

萬物相通的境界是一個整體，人只要除去自我界限，就能與之同化。能夠同就不會有偏私，能夠化就不會有執著，所以只要能夠有同有化，就表示萬物相通了。其實人要達到萬物相通，不需要研究外物，因為根本研究不完，只要把自我的限制去掉，不要執著於自我，就能夠感覺到萬物與自己之間沒有隔閡。我們說「海闊憑魚躍，天高任鳥飛」，就是一種鳶飛魚躍的境界。如果說一個人有自我的話，這一切都不一樣了，就會想要研究這是什麼鳥？這是什麼魚？會完全失去一種整體的境界。

莊子對於「心齋」的修練，就用他提到的人籟、地籟、天籟，以及顏淵的忘仁義、忘禮樂與坐忘等方式來說明。心齋到最後是虛，老子所謂「致虛極、守靜篤」（《老子・第十六章》），意思就是追求虛要達到極點，守住靜要完全確實。到極點代表沒有絲毫的汙染，完全一片空白，虛才能夠讓道出現，所以莊子接著說「唯道集虛」，道只有在空虛的情況下才會出現。「虛者，心齋也」，空虛狀態，就是心的齋戒。

虛而待物，唯道集虛

把《莊子・知北遊》的「精神生於道」，和「唯道集虛」合起來看，就是我從「形如槁木，心如死灰」到達我的心齋。身體和心都沒有作用，反而能讓道有所展現，然後「精神生於道」，我的精神從道這邊生出來，所以這是一個雙向的作用。一方面修練自己到什麼都沒有的地步，反而讓道在你生命裡顯示力量，因為道無所不在；另一方面，自己又能夠讓精神的狀態展現出來，所以我們看人的問題，可以得到一些簡單的說明。

人的生命就是身與心。身體讓人一看就知道我是誰；心智代表我能跟別人溝通，了解心意與情感。如果身與心都停下來的話，剩下的就是經過心齋以後，把界限去掉，反而能跟所有人打成一片，從整體來看，這叫靈的作用。我用三句話來解釋，第一，身體互相排斥；第二，心智可以溝通；第三，靈性打成一片。

身體互相排斥很簡單，譬如，一張椅子有人坐了之後別人不能坐，這即為身體互相排斥。引用到生活上，一個公司只有一個總經理，你當了別人就不能當，這也是身體互相排斥。其次，我們一起閱讀《莊子》這本書，念完〈逍遙遊〉我們就可以溝通了，我說大鵬鳥，你就知道我在說什麼，這叫作心智可以溝通。但溝通還是有其限制，我們閱讀的雖然是同一本書或同一篇文章，但因為理解的角度和能力不同，還是會有些誤會。最後到靈性的階段，擺脫了身體和心智，人與人之間是貫通的，人與萬物是貫通的，我的就是你的，你的就是我的。宇宙萬物都屬於道，這就是靈性的體現。現代心理學講身心靈，「靈」在古代從來不陌生，《莊子》中就提到了靈臺、靈府。

靈臺是一個舞臺，能讓道展現。譬如，我心裡有一個舞臺，上面有各種意念、價值觀，我到外面去說美醜、善惡，表示那是相對的價值。如果我悟道的話，會覺得萬物皆美，莊子說：「天地有大美而不言。」（《莊子‧知北遊》）天地萬物有全然的美妙，但是它們不說話。我們看不到，是因為我們的靈臺還沒有「展現」出來。如果把身心的本能、欲望，以及各種觀念壓制、化解，就會展現出一種精神，這種精神是跟萬物相通的。一般只說宋朝的儒家講求天地萬物合成一體，好像每一個人都是我的同胞。道家的想法則是何止每一個人，萬物都是我的同胞了。因此《莊子·齊物論》提到：「天地與我並生，而萬物與我為一。」

天地在我出生之前，有或無並沒什麼差別，我一旦出生，天地與我一起出生；我生命結束的時候，天地與我一起消失，消失到道裡面去。道不等於自然界，道是自然界的根源。天地萬物常常在變化，自然界著實渺小，真正的大是「至大無外」，外面沒有東西為最大，只要有一個範圍，外面就有東西，那就不算大。

萬物與我為一，就是萬物與我合成一體，「牽一髮而動全身」，沒有任何行動是沒有影響的，差別只在乎大小長短多少而已。天地就是一個整體，怎麼可能沒有影響，縱使只有一點點差異，差異依然存在。惠施提出一個觀點，一尺長的木頭，每天截取一半，他說「萬世不竭」（《莊子·天下》）。一世三十年，三十萬年都砍不完，怎麼會那麼誇張呢？在希臘時代有一個哲學家，他說一粒沙掉在地上有沒有聲音？當然沒有。那為什麼一堆沙掉在地上會發出碰的一聲？可見一粒沙掉在地上就會發出聲音，只是你聽不到而已。

我們說出口的每一句話，都會在自身或他人心裡造成影響。我小時候看我哥練拳擊，他每一拳打出去都要呼一口氣，他說練拳的時候不吐氣，一旦打到牆壁或桌子，反彈的力量會使人內傷。練拳如此，人生又何嘗不是？老師責備學生們不用功，讓老師生氣，學生難過，老師也很難過，因為言語的力量反彈回來了。所以，對別人講好話，先是在自身心裡起了作用，反之亦然。到最後，一個人的修行不在於關起門來，而在於與別人來往的時候，我說的每一句話，所做的每一件事，只要是好的，就會先在我生命中發揮一種正面的作用，如果是壞的，同樣會在我生命中導致一個負面的作用，這就是為什麼很多宗教會提到起心動念，原因就是如此，一個行為、一句話，會反射到人的內在。但通常我們不太能感覺到，因為一整天下來，往往是好壞互相抵消，所以睡覺時覺得好像跟昨天差不多，若每天都過得這麼沒有意義，什麼時候才會有所覺悟？

《莊子‧人間世》講「虛室生白」。一個房間若是堆滿東西，會形成很多陰暗的角落，就算用再強的燈光照射，也無法讓房間完全光亮。如果要讓房間變亮，只有把東西整個移開，虛室生白，空虛的房間就會展現光明。一個空的房間，只要一根蠟燭，就能讓它盡顯光亮。同理，心經過心齋已經變空了，一點點道的啟發，就能讓你看透一切，這個時候才有可能逍遙自在。

虛室生白，展現光明

人的逍遙絕不是指吃飽喝足。亞里斯多德的學生們有一個共同的習慣，吃完飯後要散步，後來被稱作「漫步學派」，也有人將它譯成「逍遙學派」。我不太認同這樣的譯法，散步是再平常不過的行為，光是散步就能代表逍遙嗎？這實在差太多了。真正的平安在內不在外，內心不能平安的話，外面再怎麼和諧都是假的。但是你內心平安的話，外在再怎麼混亂，至少你心中有一個角落保持一種平靜。莊子生逢亂世，他就有這樣的本事，讓內心展現光亮，可以從道來欣賞一切。我們前面提到坐忘，一個人忘記了腳，代表鞋子很舒服；一個人忘記了腰，代表腰帶很合身，這就是自己跟外面的情況配合最好的證明。

在求學階段，開學的第一天、第一個星期、第一個月我都會很緊張，由於陌生，常常會對於自身的言行是不是合宜，別人怎麼看我，人際關係好不好等問題感到擔心，但是時間久了，校園每一個角落你都知道，哪一面牆有破洞你也曉得，那個時候你就能夠安然自得。所以，怎樣讓自己愈快習慣於這樣的人生、這樣的世界，就能夠愈快忘記自己的存在。

莊子說魚在水裡面最快樂，只要給牠一個小池塘，就供養充足了，而人在道裡面最快樂，只要生活很平常，自然就顯得愉快自在，人生在世，求的不就是這樣嗎？讓我們的內心感覺到一切都很安適，忘記了腳、忘記了腰，甚至忘記了舒適。忘適之適（《莊子‧達生》），忘記舒適的舒適才是真正的舒適。真正的忘記就是你正在做一些事情，做得很自在、很開心，忘記所有的煩惱。

西方有人將快樂比喻為蝴蝶，如果你拿著網子拚命追趕，你跑得愈快，蝴蝶就飛得愈快、愈高，但是，當你很專心的在做一件事的時候，蝴蝶說不定會自己飛過來停在你的肩膀上，不刻意追求，快樂反而主動降臨。

美國有部電影「城市鄉巴佬」，描寫三個住在城市的中年人，從小就希望自己可以賺到一定的錢。到了四十歲時，他們面臨了中年危機，意識到生活好像缺少了什麼，於是他們決定休假到美國西部去當牛仔，化身成為城市鄉巴佬。他們參加了一個牧牛隊，要把一群牛從美國的德州趕到更南部的地方去，趕牛的時候當然發生了很多有趣的事，因為他們不太擅長，有一個老牛仔就幫他們的忙。有一天晚上，大家圍坐在營火前聊天，談論到底什麼是快樂，討論了許久還是沒有結論，最後老牛仔就舉起一根手指頭，大家問他這代表什麼意思，老牛仔回答：「代表一。」因為快樂就是心裡只有一個念頭，就是快樂。老牛仔說他從小到大就只希望當一個牛仔，把這件事做好之後，變成他的本能了，每當他騎在馬背上時，就覺得非常自在，趕牛的時候也相當得心應手。

說到「得心應手」這個成語，其實是出自於《莊子・天道》，但是原文真正的用法是得手應心。這是成語的變化，非常有意思。

西方人不見得懂莊子，但是他們也知道只要心思單純，就可以化解很多不必要的困擾。有時候你得到的愈多，反而愈迷惑。就像老子說的「少則得，多則惑。」（《老子・第二十二章》）也因此莊子很喜歡談論「忘」。

〈徐無鬼〉中有一個故事是這樣說的：徐無鬼由於女商的安排，前往拜見魏武侯，武侯慰問他說：「先生疲憊了，山林生活一定很勞苦，才肯見寡人。」徐無鬼說：「我是來慰問君侯的，君侯有什麼可以慰問我的呢？君侯若是想滿足嗜欲，放縱好惡之情，那麼性命的真實就會受損；君侯若是想斷絕嗜欲，去除好惡之情，那麼耳目的享受就會受損。我正要來慰問君侯，君侯有什麼可以慰問我的呢？」武侯悵然若失，沒有回答。過了一會兒，徐無鬼說：「我來告訴你我的相狗術。下等資質的狗只求吃飽就好，表現像狸貓一樣的天賦；中等資質的狗好像看著太陽，神情專注；上等資質的狗彷彿忘了自己的存在。然而我的相狗術又不如我的相馬術。我相馬的標準，直的要合乎繩墨，曲的要合乎彎鉤，方的要合乎矩尺，圓的要合乎圓規，這樣就是國馬了，但是還比不上天下馬。天下馬有天生的材質，在靜止或走動時，都像忘了自己的存在。這樣的馬，跑起來超逸絕塵，不知止於何處。」武侯聞言，感到非常高興，笑了出來。

《莊子・達生》則是講述了「呆若木雞」的故事。紀渻子為齊王培養鬥雞。培養了十天，齊王就問：「雞可以上場了嗎？」紀渻子說：「還不行，牠現在只是姿態虛驕，全靠意氣。」過了十天，齊王又來問，紀渻子說：「還不行，牠對外來的聲音及影像，還會有所回應。」再過十天，齊王又來問，紀渻子說：「還不行，牠還是目光犀利、盛氣不減。」再過十天，齊王又來問，紀渻子說：「差不多了！別的雞雖然鳴叫，牠已經不為所動了。看起來像一隻木頭雞了。牠的天賦保持完整，別的雞沒有敢來應戰的，一見到牠就會回頭跑走了。」

人跟人相處產生衝突的時候，最怕碰到不要臉的人；不要臉的人最怕碰到不要命的人。不在乎自己生命的人，你對他毫無辦法，有一句話叫「光腳的不怕穿鞋的」，當人擁有財富或各種有利的條件，內心就會捨不得。《莊子》中的故事不是要我們去跟別人逞凶鬥狠，他是叫我們對付自己，就是要心齋。每一個人都可以修練，但是要做成功不容易，怎麼做呢？第一，跟身體有關的困擾先把它消除，接著化解我們心中的各種價值觀、特定的意念，並且不需要跟別人競爭比較。

然而人們忍不住會想，真要把這些都化解了，不是變成虛無了嗎？舉例來說，有個人上山閉關修練，卻會擔心萬一再回來時，其他人都忘記了自己該怎麼辦？人們之所以放不下，是因為怕放下之後就真的什麼都沒有了。莊子的想法卻不同，他認為當一個人放下一切，心經過齋戒、經過死灰的階段，反而會展現出豐沛的力量，使道在人的生命中顯示光亮，你就一無所缺。有的時候，人的確需要冒險。

莊子認為修練分為七個階段，不過身為一般人的我們，恐怕連第一步也做不到。

第一，外天下，就是不受天下干擾。天下代表人間，表示不受世間名利的干擾。

第二，外物，超越萬物。萬物包括自然界的一切，要一律平等。

第三，外生，超越生命。千古艱難唯一死，要能看破死亡這一關。

第四，朝徹，早晨的陽光照亮一切，不再有任何陰暗與遮蔽。

第五，見獨，看到一個完整的整體。

第六，無古今，沒有古今之分，超越時間的限制。

第七，不死不生，不死不生代表你不用擔心。有生有死才是苦惱，不死不生就跟道一樣，沒有任何變化，永遠存在了。

莊子以為，聖人之上還有神人、至人與天人，其實都是描寫人在悟道之後的境界。心齋是莊子最關鍵的修練方法，不過他並沒有作系統的介紹，因此我們從以上幾個角度來說明，並把它和坐忘連結在一起。

第二講：順從「不得已」

在〈人間世〉，孔子提出心齋這個想法之後，還談到了「不得已」。莊子常提到不得已，表示在客觀條件成熟時，不得不如此，其實是順應自然之意。在主觀方面，不但要去除成見，也須培養把握不得已的智慧。不得已並非一般所認知的不情願或勉強，我學莊子最大的收穫之一，就是領悟了「不得已」的道理。

人活在這個世界上，有許多事情都是不得已的。比如，過去發生的事情是命運，亦即遭遇；現在所處的情況、人與人相處的各種情形，也是一種固定的條件；將來你選擇朝什麼方向發展，也有一定的限制，所以「不得已」三個字就是當各種條件成熟的時候，你就順其自然。關鍵不在於順其自然，而是在於條件是否成熟。如果條件不成熟，你也可以選擇，因為人有自由，但將會事倍功半；如果能夠判斷條件成熟了，再順勢而行，則將事半功倍。

道家強調智慧，智慧就是一個人判斷條件是否成熟的能力。至於該如何判斷，可以透過學習、觀察，或是從過去的經驗去尋找線索。生活是微妙而神奇的，我們與別人來往，可以將過去的情況總結，再開發一個新的未來，只看自己怎麼說、怎麼做。說得對不對、做得對不對，有時候會造成各種意想不到的結果而事與願違。所以談不得已的時候，要從幾個側面來看：第一，身體的變化；第二，處境的變化；第三，算命的難題。

身體的變化：老，病，醜，怪

誰不希望永遠保持青春？然而身體會變老、會生病、會變醜、會變怪，這是非常自然的發展，這樣的變化沒有人可以阻擋得了，這即是不得已。

有些人變老了，看起來很慈祥，滿頭白髮、充滿智慧的樣子。生病一定是很委屈、很辛苦的，但這些都是我們自然生命的一部分。即使從未想過這個問題，到老了之後也會發現生病是正常。生病也會給人把人生看得更透徹的機會。看待事情的角度不一樣，想法也會跟著調整，會懂得珍惜應該珍惜的，所以生病也算是一個不錯的轉機，只怕病好了之後故態復萌、變本加厲，那就麻煩了。

《莊子‧大宗師》談到四個人「相視而笑，莫逆於心」，相視而笑，內心契合，於是結交為朋友。但是有個前提是「以無為首，以生為脊，以死為尻，知死生存亡之一體者。」

誰能夠把無當作頭，把生當作脊梁，把死當作尾椎。從頭、脊梁到尾椎，代表生命的主幹，誰能把死生存亡看作一個整體，誰才是我的朋友。所以，做朋友的條件很簡單，就是要有智慧。

何謂把無當頭？就是不要執著於人生的什麼目標，有什麼想法。把有當頭就代表有一些想法，要這樣，要那樣，要設計思考，世上有誰能夠避免如此？如果把無當頭的話，等於跟著無去走，沒有方向就是方向。

把生當作脊梁，把死當作尾椎，代表脊梁延伸到最後結束了，然後進一步把死生存亡當作整體，死與生沒有分別，存與亡沒有差異，這樣的人才是我的朋友，才能體驗什麼是道，彼此產生整體的和諧感，這樣的朋友有什麼好擔心的？當然是「相視而笑，莫逆於心」，一切盡在不言中。

子輿生病了，身為朋友的子祀前去探望，說：「偉大啊，造物者竟然把你弄成這副蜷曲的樣子。」子輿彎腰駝背，五臟擠在背部，臉頰藏在肚臍下，雙肩高過頭頂，髮髻朝著天空，氣血錯亂不順。但是他心情悠閒而若無其事，蹣跚走到井邊，照見自己的身影，說：「哎呀！造物者竟然把我弄成這副蜷曲的樣子。」子祀說：「你討厭這副樣子嗎？」子輿說：「不，我怎麼會討厭呢？」如果連自己都無法接受身體的現狀，又怎麼能要求別人接受你？

這裡出現「造物者」這個名詞，乍聽之下會誤以為是Creator的翻譯，因為我們常聽到「上帝創造世界」的說法，但其實「造物者」出自《莊子》，道就是造物者，萬物從道而來，所以用造物者形容道是適當的。莊子也不反對造物者是拿斧頭去雕琢，把萬物造出來的這種說法。萬物彼此間的差異那麼大，有如鬼斧神工，「鬼斧神工」這個詞，出自於《莊子・達生》。

《莊子・德充符》說，有個名為闉跂支離無脤（跛腳、駝背、兔唇）的人，前去遊說衛靈公，衛靈公很喜歡他，平常看到正常人，反而覺得他們的脖子太瘦長了。這段話真是令人感動，這代表德行圓滿，就會超越形體的限制。一個人的外表其實是非常有限的觀察對象。蘇格拉底是出了名的醜，但是每一個學生都覺得這個老師真美，因為他反襯出來的內心智慧，特別顯眼。

子輿說：「假使把我的左臂變成公雞，我就用牠來報曉；假使把我的右臂變成彈丸，我就用它來打鳥再烤了吃；假使把我的尾椎變成車，把我的心神變成馬，我就乘坐這輛馬車，難道還要找別的車馬嗎？再說，有所得，是靠時機；有所失，就要順應。安於時機並且順應變化，哀樂之情就不能進入心中。這是古人所說的解除倒懸。那些不能自行解除的人，是因為被外物所束縛。再說，外物不能勝過自然的造化，那是由來已久的啊，我又討厭什麼呢！」

身體的變化沒有人能夠控制，造物者就是我們的父母，我們只能接受，接受了之後就把這個現狀當作繼續發展的條件。人生的苦，往往在於害怕很多東西一去不復返，但這本來就是生命的真實面貌。生命一旦失去，就無法再回來，但是我們還是會擔心。要是很不幸的手上長了一個腫瘤，醫生說要截肢，截肢之後就沒有手了，該怎麼辦才好？但是若不截肢，死了之後手也是變成骨灰。就算四肢健全，到最後還是要結束，早一點走、晚一點走，又有什麼差別？《莊子．德充符》借孔子之口，形容被砍去一隻腳的王駘「視喪其足猶遺土也」，他把失去的腳當作一塊泥土掉在地上，這樣的人，你怎麼跟他談論人生各種分別的問題，他有一個整體的智慧。

王駘只有一隻腳，但他的學生跟孔子的學生一樣多。孔子在魯國很有名，學生覺得孔子講課還不錯，後來發現王駘講得更好，因為去聽課的人都是心中空虛地跑去，再充實地回家。起初大家對他的教法感到很好奇，跑去看他，但他「立不教，坐不議」，根本就不講話，只是坐在那兒發呆。但也不知道為什麼，學生坐久了心裡反倒覺得很充實。莊子借孔子之言來彰顯他的獨特之處：

「死生也算是大事了，而他完全不受影響；即使天崩地裂，他也不會跟著起伏。他處於無所假借的狀態，因而不隨萬物轉移；他洞徹萬物的變化，而能守住自己的根本。」

一般人去拜師學藝，都是希望活得充實而快樂，這就是沒有看透死亡這一關。如果身體老了、病了、醜了、怪了，反而讓人更容易體驗到生命的原始面貌。相反的，要是身體健康、長得漂亮又有財富，人就很容易執著在相對的物件上面。

《莊子．人間世》講到支離疏這個人，他的頭低縮在肚臍下面，雙肩高過頭頂，髮髻朝著天，五臟都擠在背上，兩腿緊靠著肋旁。他替人縫衣洗衣，收入足以餬口；又替人簸米篩糠，收入足以養活十人。官府徵兵，他大搖大擺地在徵兵場所閒逛；官府徵工，他因為身有殘疾而不必勞役；官府救濟病患時，他可以領到三鍾米與十捆柴。形體殘缺不全的人都可以養活自己，享盡自然的壽命，何況那些不以德行為意的人呢！

「支離疏」顧名思義就是身體支離破碎。支離疏這個名字已經相當誇張，他的際遇更是難以想像。他成功的祕訣是「支離其形」而順其自然，完全不把身體形貌放在心上，只是安分地活著。「支離其德」，指忘德，不以德為德，所以不會驕傲或自誇，也不會引來他人的嫉妒。如此可以免除世間的相對規範，更容易自在逍遙。

莊子寫這個故事是為了告訴我們，一個人只有在忘卻自己的形體的時候，內心才能充實。這種想法不太容易理解，難道要變成這副模樣，才能忘記自己的形體嗎？比較貼切的說法應該是，因為他的形體不足以讓他依靠，他反而可以很自在地忘記自己的身體是什麼樣子。

處境的壓力：貧窮與委靡

莊子的生活很貧窮，不過貧窮不等同於委靡。

莊子舉出孔子的三個學生作為示範。

第一個是原憲。《莊子・讓王》提到，原憲住在魯國，居處只有方丈大小。生草蓋成的屋子，蓬蒿編成的門戶也不完整，桑條做成門樞；用破甕做窗戶，以粗布衣隔開兩個房間；屋頂漏雨，地上潮溼，他卻端坐其中彈琴唱歌。子貢騎著大馬，穿著素白的大衣，襯著天青色的內裡，巷子容不下高大的馬車，他就走進去見原憲。原憲戴著樺樹皮做的帽子，穿著沒跟的鞋子，扶著藜杖來應門。子貢說：「呀！先生患了什麼病呢？」原憲說：「我聽說『沒有錢財，叫作貧窮；讀書而不能實踐，叫作患病。』現在的我，是貧窮而不是患病。」子貢進退不得而面有愧色。原憲笑著說：「行為迎合世俗，交友親熱周旋，求學是為了讓人讚賞，教授是為了顯揚自己，假託仁義去為惡，裝飾車馬去炫耀，這些是我不忍心做的事。」

第二個是曾參。看了莊子對他的描寫，你會覺得莊子好像認識他，不過這當然不可能，兩人的年代可是相隔了將近一百年。

曾子住在衛國，身穿破爛絮袍，臉色浮腫有病，手腳磨出厚繭。三天沒有生火煮飯，十年沒有添製衣裳。扶正帽子，帽帶就斷掉；拉住衣襟，手肘就露出；穿上鞋子，後跟就著地。他腳上拖著破鞋，口中吟唱《商頌》，聲音充滿天地，好像出自金石樂器。天子不能以他為臣，諸侯不能與他為友。所以說，修養心志的人會忘記形體，修養形體的人會忘記利益，追求大道的人會忘記心機。

有誰承擔得起這兩句話？天子不能把他當大臣，意思是他不在乎天子，他不願意做官；諸侯不能同他交朋友，因為曾參會說對方不夠資格。他修練內在的德行，世間有權力的人和他是談不來的，他們各有自己的價值觀。

由莊子對曾參的描寫，看得出來他對儒家的同情，因為孔子說過「君子固窮」，君子在窮困中堅守原則。這一點儒家是可以做到的。

接下來是顏淵的例子。怎麼能錯過顏淵呢？不過顏淵說的話，顯然是莊子編的。

孔子對顏回說：「顏回，你過來這兒，你家境貧窮、住處簡陋，為什麼不去做官呢？」顏回回答：「我不願做官。我在城外有五十畝田，足夠供應我要吃的稀飯。在城內有十畝田，足夠生產我要穿的絲麻；彈琴足夠我自己消遣，所學老師的道足夠我自得其樂。我不願做官。」孔子臉色一變，說：「你的心思很好啊！我說過『知足的人不會為了利益而勞苦自己，自在的人遇到損失不會恐懼，修養內心的人沒有爵位也不會羞愧』，我講述這些話已經很久了，如今在你身上才見到，這是我的收穫啊。」

我在講老子的時候，特別把他跟史賓諾莎做對照。史賓諾莎生於西元一六三二年，是住在荷蘭的猶太裔哲學家，得年四十五歲。他四十歲左右時出了一本書，造成轟動，德國海德堡大學請他當教授，他覺得自己當下的生活還不錯，於是就拒絕了。顏淵所處的時代比史賓諾莎早了兩千多年，境界也比史賓諾莎還高。莊子說顏淵有四個「足夠」，又何必要做官？學習這些哲學家的思想時，可以順便研究他們同生活實踐如何配合，你會發覺很有意思。

原憲、曾參、顏淵都是儒家的代表，他們很懂得如何從生命中找到重要的素質並修練，而未必都要向外追求富貴名利。孔子也說，富與貴是人之所欲也，但這些不是你求就可以得到的，有時候還要看有沒有人賞識自己。這些都是複雜而訴之於外的問題，我們所要的是求之於內。

講到貧窮，當然不能遺漏莊子自己，他向老朋友借米的故事太有名了。

莊周家裡貧窮，便去向監河侯借米。監河侯說：「好的。等我收到封地的賦稅以後，就借給你三百金，可以嗎？」莊周氣得臉色都變了，說：「我昨天來的時候，半路上有人喊我，我回頭一看，在車輪壓凹的地方有一尾鯽魚。我問牠說：『鯽魚呀！你在這裡做什麼？』牠回答說：『我是東海的水族之臣。你有沒有一升一斗的水可以救我呢？』我說：『好的。我將到南方遊說吳國、越國的君主，引進西江的水來迎接你，可以嗎？』鯽魚氣得臉色都變了，說：『我失去了日常需要的水，沒有容身之處。現在我只要有一升一斗的水就可以活命，而你竟然這樣說，那還不如早些去乾魚鋪找我算了！』」

當他跟朋友借米，別人稍微推託，他臉色變了，他講的寓言裡面那條魚臉色也變了，真是天才手筆。他顯然非常窮困，我們會擔心他該如何過日子，但是他的智慧和反應，顯示他看待事情的角度完全不一樣。

在〈山木〉篇，莊子穿著一件縫了補丁的粗布衣服，用麻繩拴住腳上的破鞋，然後去見魏王。魏王說：「先生為什麼這樣委靡呢？」莊子說：「是貧窮，不是委靡啊。讀書人有道德理想而不能實踐，才是委靡；至於衣服破舊、鞋子穿孔，是貧窮，而不是委靡，這是所謂生不逢時啊！您難道沒有見過跳躍的猿猴嗎？當牠處在柟、梓、豫、章這些大樹上的時候，可以攀緣樹枝，往來自如，就算是后羿、蓬蒙這樣的神射手也不能小看牠。等到牠處在柘、棘、枳、枸這些多刺的樹叢中時，就要小心行動，瞻前顧後，還會害怕得發抖，這不是因為筋骨變得僵硬而不柔軟，而是所處的情勢不利，沒有辦法施展牠的才能啊。現在處在昏君亂臣的時代，要想不委靡，怎麼可能呢？像比干被紂王剖心而死，就是一個例證啊！」

什麼叫不得已？就是要了解自己的處境，而不是說你生活過得不自在，會有什麼事情覺得不得已。也就是要從整體來看，發現身體的變化造成不得已，遭遇的處境造成不得已。

算命的難題：吉凶依於欲望

許多人對算命都很感興趣，《莊子‧徐無鬼》中也提到了有關算命的事。

子綦請來九方歅，為他的八個兒子看相。「給我的兒子看看相，誰最有福氣？」九方歅說：「梱最有福氣。」子綦驚喜地說：「他會怎麼樣呢？」九方歅說：「梱終身都會與國君一起飲食。」子綦傷心流淚說：「我的兒子為什麼會陷入這種絕境呢？」九方歅說：「與國君一起飲食，恩澤會普及到三族，何況是父母呢！現在先生聽了反而哭泣，這是拒絕福分。看來兒子有福氣，父親卻沒有福氣。」子綦說：「歅，你怎麼能夠了解這個道理，梱真的有福氣嗎？只不過是酒肉送入口鼻而已，又怎麼知道酒肉是哪裡來的！我沒有畜牧而住屋西南角卻出現羊隻；沒有打獵而住屋東南角卻出現鵪鶉。你不覺得奇怪，為什麼呢？我教我的兒子遨遊，是要遨遊於天地之間。我教他們與自然同樂，我教他們與大地共食，我不教他們做成事業，不教他們運用謀略，不教他們標新立異；我教他們順從天地的實況，不因追逐外物而與此相違背，我教他們一切順其自然，而不教他們選擇什麼事該做，現在居然會得到世俗的報償。凡是有奇怪的徵兆，一定有奇怪的事情，這恐怕不是我與我兒子的過錯，而是上天給他的。我因此哭泣啊。」沒過多久，他派梱去燕國，途中梱被強盜擄走，強盜認為四肢健全的人很難賣出去，不如把腳砍掉比較容易些，於是砍掉他的腳，把他賣到齊國，正好擔任齊康公的守門人，終身都有肉可吃。

所以為什麼要算命？算命算得出來有什麼遭遇，但是不知道那個過程很可怕。算命的果然沒說錯，躺著就有飯吃，但這種命誰要？所以算命有什麼意義？他告訴你結果，你也避不開，發生了才知道原來如此。

《莊子・外物》也有個關於算命的故事：宋元君半夜夢見有人披頭散髮，在側門邊窺視，並說：「我來自名為宰路的深淵，我被清江之神派往河伯那裡去，漁夫余且捉住了我。」元君醒來，叫人占卜此夢，卜者說：「這是神龜啊。」國君說：「漁夫有叫余且的嗎？」左右的人說：「有。」國君說：「命他來朝見。」第二天，余且上朝。國君說：「你捕到什麼？」余且說：「我網住了一隻白龜，直徑有五尺長。」國君說：「把你的龜獻上來。」龜獻上之後，國君又想殺牠，又想養牠，心中猶豫不決，叫人來占卜，卜者說：「殺龜用來占卜，吉利。」於是挖去龜肉，用龜甲占卜，七十二次都沒有失誤。孔子說：「神龜能夠託夢給宋元君，卻不能避開余且的魚網；牠的智巧能夠占卜七十二次都沒有失誤，卻不能避開被挖肉的禍患。這樣看來，智巧有窮盡之時，神妙有不及之處。即使有最高的智巧，也避不開萬人的謀害。魚不害怕魚網而害怕鵜鶘；摒棄小智巧，大智巧就顯露出來；摒棄善行，自己就走上善途了。嬰兒生下來，沒有高明的老師而能夠學會說話，那是因為與會說話的人相處在一起。」

雖有至知，萬人謀之。雖然你有最高的智慧，天下人就你最聰明，你是諸葛亮的十倍，但一萬個人要對付你，你就完了。只注意到一個人要對付你，卻沒注意到天下人都要對付你，這也是一種不得已的處境，所以不要讓自己陷入這種困境。

最後一個算命的故事很長，《莊子・應帝王》中提到：鄭國有一位神巫，名叫季咸，他能測知人的死生、存亡、禍福、壽夭，卜算出年月日，準確如神。鄭國人看到他都紛紛走避。列子見到他，卻很崇拜，回去告訴壺子說：「原先我以為先生的道術最高深了，現在又看到更了不起的。」壺子說：「我教過你表面的虛文，還未談到真實的部分，你就以為自己明白道了嗎？全是雌鳥而沒有雄鳥，又如何能產卵呢？你用表面的虛文與世人周旋，一定會企圖凸顯自己，這樣就讓人有機會算出你的命運。你試著請他來，替我看看相。」

隔天，列子帶著季咸來見壺子。見過面之後，季咸對列子說：「唉！你的先生快要死了，不會超過十天！我看他神色有異，呼吸像溼灰一般沉重。」列子回到屋內，哭得眼淚沾溼了衣襟，並把這個消息轉述給壺子聽。壺子說：「剛才我顯示給他看的是地象，是不動不止的陰靜狀態。他大概是看到我閉塞住自得的生機了。你再請他來看看。」

第二天，列子又帶季咸來了。季咸見了壺子後，出去對列子說：「真是幸運，你的先生正好遇到我。有救了，全然有生氣了，我看見他閉塞的生機開始活動了。」列子進屋後把這個消息告訴壺子。壺子說：「剛才我顯示給他看的是天地相通之象，名與實都不存於心，一線生機從腳跟發出。他大概是看到我生機發動了。再請他來看看。」

於是再隔天列子又帶季咸來，季咸見了壺子後，出去對列子說：「你的先生動靜不定，我無法為他看相。等他平靜下來我再看吧。」列子進屋把這句話轉告壺子。壺子說：「剛才我顯示給他看的是太虛無跡之象。他大概是看到我神情平衡的生機了。鯨魚盤旋之處形成深淵，止水之處形成深淵，流水之處形成深淵。深淵有九種情況，我在此顯示了三種。再請他來看看。」

第二天，兩人又來見壺子。季咸還未站定，就慌忙逃走了。壺子說：「快去追他。」列子追出去，但已經來不及了。他踅回來向壺子報告，說：「不知去向了，我追不到他。」壺子說：「剛才我顯示給他看的是完全不離本源的狀態。我以空虛之心隨順他，使他不知我究竟是誰，一下以為我順風而倒，一下以為我隨波逐流，所以立刻逃走了。」

經過這次事件，列子才明白自己什麼也沒學會，於是告辭回家，三年不外出，幫妻子生火做飯、餵豬。對於世間事物毫不在意，拋棄雕琢而回歸樸素，超然獨立於塵世之外，在紛擾的人間守住本性，終身如此。

命運確實有其神祕之處，不過重要的不在於自己有什麼樣的命運，而是看你如何對待這個命運。年輕的時候我很喜歡把一句話當成座右銘，「我不能改變我的命運，但我可以改變我對命運的態度。」只要改變我對命運的態度，這個命運所產生的好壞結果，都不再有影響力，這是因為了解而可以超越。我們面對自己的命運，常因為有各種欲望，所以總是羨慕別人，但說不定這個別人也正在羨慕你呢。

英國黛安娜王妃曾說：「我真希望做一個平凡人，可以自由跟別人談談戀愛、逛街吃飯，沒有人管我。」

別人所謂的好命往往是包裝出來的，金錢能夠讓你吃飽、讓你喝足，卻無法讓你自由自在，「雖有至知，萬人謀之」，你怎麼辦？

現在，再讓我們複習一下「不得已」的概念：第一，身體出現變化是不得已的，不是個人可以選擇要或不要，而是事實。對於事實不要多用情感，而是要能了解。第二，對於人生的遭遇與實際的處境，要問自己能不能了解這些是不得已，能夠承受才代表有能力。有一句話說得不錯，一個人真正的能力不在於能夠獲得什麼，而是能夠承受失去什麼。第三，面對算命問題，只有努力修練自己，降低欲望，自然可以逢凶化吉。

第三講：化解一切的執著

人難免有所執著，該怎麼做才能減少這方面的問題？莊子同惠施辯論的時候，提出「無情」一詞，指的是不要有情感的表現，但是人怎麼可能沒有情感？其實所謂的「無情」是說：可以有人的情感，但是不要讓情感往內傷害到生命。

人會產生情感，是因為受到外界的干擾，西方人用 passion 代表因為被動而引起的一種情緒狀態。譬如，看悲劇會讓人覺得傷感，喜劇則會帶給人歡樂，這些喜怒哀樂都屬於 passion，是被動引發的。人的情緒感受往往是被動的，外面有什麼樣的刺激，內心就會造成什麼樣的回應。這種情緒感受是可以理解的，但是不要讓它向內傷害到自己的生命，這樣就太過於干擾內心。孔子也說：「《關雎》樂而不淫，哀而不傷。」（《論語・八佾》）《關雎》這幾首詩的演奏，聽起來快樂而不至於沉溺，悲哀而不至於傷痛，「傷」代表受到損失，但哀是一種自然的情緒。樂而不淫，哀而不傷，是情感發而皆中節。

無情：不受好惡的干擾

莊子說，情感不要向內傷害到自己，所以最好表現無情，因為有喜恐怕就有悲，那是相對的情緒。可是該怎麼做呢？莊子在〈山木〉舉了一個例子，合併的兩舟在渡河時，被一艘空船撞上了，就算是急躁的人也不會發怒；如果有一個人在這艘船上，那麼就會呼喊著要他避開；一次呼喊不聽，兩次呼喊不聽，到了第三次呼喊時，就會罵出難聽的話了。剛才不發怒而現在發怒，是因為剛才船上無人而現在有人。人若能空虛自我而在世間遨遊，那麼誰能傷害他呢？

無情不是真的沒有感情，而是要超越情緒。莊子在〈列禦寇〉說：「泛若不繫之舟，虛而遨遊者也？」人生不就是這樣嗎？飄飄然就像解纜的船，在水面上隨意漂蕩。你可以試著想像這樣的情景，放暑假到鄉下度假，大家原本坐在船上欣賞湖光山色，不知不覺間大家都睡著了，夢裡花落知多少，悠閒又自得。《莊子》還是有這樣的故事，偶爾看到這幾句描寫，就覺得人生很有趣味。〈人間世〉也有「虛而待物」，和「泛若不繫之舟，虛而遨遊者也」意思一樣，把自己空虛掉，不要執著於我是誰、你是誰，而準備容納接受一切萬物，如此一來，人生不是很悠閒嗎？

人與人之間的關係有可能變得緊張，這時候就要化解自我意識。

有一次我搭機去哈爾濱，看到有一個人一上飛機就左顧右盼，他坐到我身邊的位子後，空服員立刻過來問他要喝什麼，我頓時覺得有點尷尬，他似乎是個大官，我好像太眼拙了。空服人員都認識他，對他很客氣，先服務他之後，才問我要喝什麼。我對空服人員很感謝，但是他不同，他覺得這是應該的。人在社會上發展，總是會留意某種社會效應，別人就把你的生命與你的職位連結在一起，其實沒有必要如此，我們只是一個單純的生物而已。我們的生命可以啟發某種覺悟的能力，所以，除了要人設法無情之外，還要做到無動於衷。《莊子・逍遙遊》就提過「舉世而譽之而不加勸，舉世而非之而不加沮」，意思是天下人的稱讚及批評都不要放在心上。

我在美國讀書時的一位外國老師，沒有念過《莊子》，所以境界還不是很高。在課堂上，學生聽得出來老師準備很久並且講得很好，下課的時候只要有一個人鼓掌，其他人會跟著鼓掌，老師就很開心。但這反而麻煩了，從此以後老師就會有莫名其妙的期待，只要下課時學生沒有鼓掌，他就感到沮喪，覺得自己今天是不是做錯了什麼事，亦即心情很容易被外在的情況所操縱。

學習莊子之後很容易化解這種尷尬，怎麼化解呢？我們從四個方面來看：

第一，化解時間的觀念。時間是指生命存在的長短，但是否真的活得愈老愈好呢？我們描述人的年齡，六十歲之前要寫「得年」多少，六十歲以上才能夠寫「享壽」，連用詞都要講究。但是莊子認為，即使傳言彭祖活了八百歲，可是在他看來，這跟夭折的嬰兒似乎沒有什麼差別。從永恆來看，八百歲也不過是一剎那，又何必太在意？莊子說：「人生天地之間，若白駒之過隙，忽然而已。」（《莊子．知北遊》）隙就是裂縫，屋子有一個小小的裂縫，白色的快馬一閃就過了，人生不就是這樣嗎？回想過去這一生所發生的事，那不是一剎那嗎？浮生若夢，為歡幾何？現在不也是一剎那嗎？誰能把握住現在的這一剎那？所以，活了多久也只是一剎那，反之，能否把一剎那變成永恆呢？

西方存在主義大師雅士培（Karl Theodor Jaspers, 1883-1969）提出剎那等於永恆的觀念。他說人的一生大半在做相似的事情，多做一件、少做一件沒什麼差別，反正每天都是上班、下班、吃飯、睡覺、跟別人瞎聊天，但是忽然有一件事，你一旦決定，就能改變一生，這件事究竟是什麼呢，就是「選擇成為自己」。存在主義的「存在」就是指：選擇成為自己的可能性。這個學派的中心思想就是在強調我要選擇成為自己，這又是什麼意思呢？人有兩種可能，第一，選擇成為自己；第二，選擇不成為自己。選擇不成為自己比較容易，或者說是不選擇成為自己，也就是做一個大家都期待的人，這樣的決定能讓自己在人群中感到安心，但卻會失去自己。

人只要問自己想做什麼，就會凸顯出自我與別人不同的特色，這樣就會產生壓力，別人也因此質疑你。現代是一個群眾性的社會，大家流行衣服怎麼穿，東西怎麼吃，結果在食衣住行上追求一致，導致內心也被同化而沒有自己的個性。人就變成一顆小螺絲釘，走著跟其他人一樣的人生道路，念書、就業、成家……一輩子就這麼過去了。存在主義認為你要把握生命裡幾個重要的關鍵，選擇成為自己，經過這個選擇，生命得到本質，這是存在先於本質。對莊子來說也一樣，既然整個一生是一剎那，我能不能以一剎那來代替生命的特色，這兩種思想是不同的角度，但是可以合拍。《莊子》有很多內容提醒人們，如果這一剎那能覺悟的話，整個天地會完全顯示不同的面貌。

一般人都羨慕長壽，莊子則說不一定，活得久要看你跟誰比，一隻烏龜可以活四百年，一棵大樹可以活四千年，那怎麼比？再請問，當烏龜比當人好嗎？當一棵樹比做人好嗎？所以重要的不是你活多久，而是能不能把握覺悟的契機，讓自己的生命屬於自己。

存在主義的另外一位代表叫海德格（M. Heidegger, 1889-1976）。海德格主張「人要真誠」。他所謂的真誠和我們平常的認知不同，德文是eigentlichkeit，翻譯成中文就是「屬於自己」。我不屬於別人，不屬於老闆、不屬於群眾、不屬於外面很多人，我屬於我自己，就是要「選擇成為我自己」。我們常常會問我屬於誰？我們的生命在上班時屬於老闆，到學校教書則屬於學生，那什麼時候屬於自己呢？你能不能選擇一種讓生命安頓的方法，讓自己覺得這是我要選擇的生活方式，我能夠安定下來、樂在其中。存在主義在西方一直有其影響力，因為它能從西方傳統的概念思維轉到現實的生活上，讓人認真地面對生活。在《莊子》一書中，很多智慧都展現了某種程度的存在主義思潮。

第二，超越空間。美國一位有名的作家梭羅（H. D. Thoreau, 1817-1862），他是哈佛大學哲學系的畢業生。他想要驗證「人能否一無所有而活下去？」於是獨自一人去華爾登湖畔住了兩年兩個月。有一天他到附近的農莊小店去買些農具和日常用品，農夫們就問他：「你一個人住在湖邊不覺得寂寞嗎？」他說：「整個地球在宇宙裡只是一個黑點，一個黑點上面的距離會有多遠？」他這樣的想法就是從《莊子・秋水》得到啟發的。

秋天的雨水隨著季節來臨，千百條溪流一起注入黃河，河面水流頓時寬闊起來，使兩岸及沙洲之間遠遠望去，連對面是牛是馬都無法分辨。於是黃河之神河伯得意洋洋，以為天下所有的美好全在自己身上了。他順著水流向東而行，到了北海，朝東邊看過去，卻看不見水的盡頭。這時河伯才改變原先得意的臉色，望著海洋對北海之神感嘆說：「俗話說『聽了許多道理，就以為沒人比得上自己。』這就是在說我了。而且我曾經聽人鄙薄孔子的見識，而輕視伯夷的義行，起初我不相信，現在我總算目睹了你的難以窮盡的廣大。我要是不到你這裡來就糟了，我將永遠被有道之士看笑話了。」海神對著沮喪的河伯說：「我算什麼，中國在四海之內只不過是倉庫裡的一粒米罷了。」

我的老師方東美先生說莊子是一個太空人，一個人沒到過外太空，怎麼可能把中國看作一粒米？這就是化解對空間的執著。西方有一句話常被引用：「陸地很大，海洋比陸地更大，天空比海洋更大，人的心比天空更大。」因為我們的心能夠想像到天空之外。莊子說：「六合之外，聖人存而不論，六合之內，聖人論而不議。」（《莊子‧齊物論》）對於天地之外的事，聖人存察於心而不談論；對於天地之內的事，聖人談論而不評議。何謂存而不論？說它存在吧！但是不要討論，因為你沒有研究，也沒有工具可以了解。討論跟評論不一樣，我們討論天那麼高，地那麼深，但不要評論天高很好，地深不好。它是一個現成的事實，了解就好了。

當時間與空間的形式都突破時，生命還有什麼煩惱？從無限與永恆來看，活在宇宙一個小小的時空焦點裡面，何必羨慕別人活得長，或擁有大房子？我有一個在哈佛讀書的朋友，他經過校園內專門埋葬著名學者的地方時，不經意地說：「真羨慕這些人！」老師聽了當場喝道：「死人有什麼好羨慕的？你還活著，還有機會。」不要羨慕別人，要珍惜自己現在的生命。從身到心，從心到靈，一定要覺悟，讓自己空，空了之後，從道來看整體時，生命就可以自在逍遙。

第三，超越義與利。利是有好處，義是正當性。孟子強調義利之辨，而且標準是很嚴格的。孔子也說見利、見得要思義，看到有好處要問該不該得，這就是義利之辨。但是莊子認為義跟利並無差別，因為分辨需要標準，標準由誰定呢？為什麼這樣定？這些都是問題。所以，把利跟義化解了，人的煩惱就更少了。一般人認為君子愛義、小人愛利，其實只要有所愛都是執著，連這也要化解。

最後，要化解生死。這是最大的問題，但若要達到心齋而與道契合，就要化解執著，而生死是一個重要的關卡。我們不否認死亡是人生最重要的一關，也沒有人能在死亡之後，再回來告訴我們死亡是怎麼回事，所以我們始終覺得死亡覆蓋著一層神祕的面紗，我們也因為不了解而害怕。西方人用許多種方式來說明死亡，譬如，把死亡當作演戲的落幕，舞臺上總要換人去演；有人說它像通道，透過死亡到不同的生命領域了；有人說它像太陽，死亡有如發出強光，讓人只能從側面去了解。

人類害怕死亡的理由很多。第一，死亡逼我離開可愛的世界，這樣就要和朋友、家人分離，必然心生不捨。第二，死亡往往伴隨著痛苦，或者與痛苦的形象聯結在一起，試著想像在醫院被搶救的病人，身上插滿管子，不斷哀號的模樣。第三，人們害怕死亡之後被取代，金錢、地位都被取走了。西班牙人大多信仰天主教，有一位哲學家從小就害怕死後下地獄。唐朝有一個畫家叫吳道子，他畫過十八層地獄圖，公布之後，幾個月內，長安城沒有人犯罪，但是當人們逐漸淡忘之後，犯罪案件又再度發生。人畢竟都有些苟且心態，認為死亡是以後的事。

我覺得死亡沒有什麼好怕的，因為它是自然的現象，若死後去了地獄，那裡的人應該很多，說不定還有百貨公司。這麼熱鬧，有什麼好怕的？若死後上了天堂，說不定會覺得很寂寞，也許那裡沒有幾個人。這當然只是開玩笑，莊子也不會在意這些。

烏拉木諾（Miguel de Unamuno y Jugo, 1864-1936）是西班牙哲學家，他對死亡的恐懼來自「我們」這兩個字被拆掉了。我和許多人建立了「我們」的關係，死亡使這些人一個個離開，這些「我們」的關係就慢慢瓦解了。他說他害怕死亡，是因為死亡讓他覺得孤獨。

莊子認為生命的構造是氣的變化，氣聚則生，氣散則死，因而他對死亡並不感到畏懼。這話也有根據，一個人能夠呼吸，始終一口氣聚在胸中，等到氣散掉而不再吸的時候就結束了。結束之後不但氣散掉，身體也跟著就散掉了。

無動於衷：天下人的毀譽

莊子一生窮困，自己固然可以大而化之，但是妻與子也要跟著受苦。時代環境如此，只能徒呼奈何！終於，大限已屆。莊子的妻子死了，惠子前來弔喪。這時莊子正蹲在地上，一面敲盆一面唱歌。惠子自然詫異不解，責怪他說：「你與妻子一起生活，她把孩子撫養長大，現在年老身死，你不哭就罷了，竟然還要敲著盆子唱歌，不是太過分了嗎？」這是出於《莊子・至樂》的一段故事，惠子其實正代表所有人提出質疑。莊子是這麼答覆的，他說：「不是這樣的。她剛死的時候，我怎麼可能不難過呢？可是我省思之後，意識到她本來是沒有生命的，不但沒有生命，而且沒有形體；不但沒有形體，而且沒有氣。然後在恍恍惚惚的情況下，變出了氣，氣再變化而出現形體，形體再變化而出現生命，現在又變化而回到了死亡，這就好像春夏秋冬四季的運行一樣。這個人已經安靜地睡在天地的大房屋裡，而我還在一旁哭哭啼啼。我以為這樣是不明白生命的道理，所以停止哭泣啊！」

莊子認為生死有如四季運行，循環不已，又何必對四季有任何情緒反應？不僅如此，「死生的變化，就像晝夜的輪替」，這似乎是主張生死乃是「相反相生」的。唯有共同處在一個整體中，才可對生死有這樣的理解。事實上，使人困惑的，不是有生之物注定會死，而是已死之物如何再生。萬物循環出現，沒有人會在意眼前這朵花是否是去年所見的某一朵花的再生，但是沒有人不關心我這個生命將來「真的」會再生嗎？

莊子側重整體觀點，想要以此消解個人生命是否再現的問題。他在〈田子方〉藉老聃之口說：「由天地發出至陰之氣與至陽之氣，這兩種氣互相交通融合就產生了萬物，也許有什麼力量在安排秩序，卻又看不見它的形體。萬物有消有長，時滿時虛，夜暗晝明，日遷月移，每天都有些作為，卻看不到任何功績。出生，有它的源頭；死亡，有它的歸宿；始與終相反而沒有開端，也不知將止於何處。如果不是這樣，又有誰是這一切的主宰呢？」

《莊子．列禦寇》記載，莊子臨終的時候，弟子們表示想要為他舉行隆重的葬體，莊子說：「我把天地當作棺槨，把日月當作雙璧，把星辰當作珠璣，把萬物當作殉葬，我陪葬的物品難道不齊備嗎？有什麼比這樣更好的！」古代葬禮，要準備「棺槨、連璧、珠璣、齎送」，才能算是理想。莊子認為自己一應俱全，沒有任何缺乏。弟子說：「我們擔心烏鴉與老鷹會把老師吃掉。」莊子說：「在地上會被烏鴉與老鷹吃掉，在地下會被螻蟻吃掉；從那邊搶過來，送給這邊吃掉，真是偏心啊！」

能夠以這般輕鬆而詼諧的口吻談論自己身後事的人，古今中外恐怕十分罕見。更重要的是，莊子這麼說不是故作瀟灑，而是基於他的道家哲學所推演出的合理結論。「道」是萬物的來源與歸宿，是唯一的整體，只要覺悟了什麼是道，連生死都可以淡然處之，因為那是合乎自然的變化。明白這種變化，才有逍遙之樂可言。

不過，莊子的思想一不小心就有可能被誤用。魏晉時代竹林七賢之一的劉伶，研究莊子之後，宣稱他是以天地為家，以房子為衣褲，所以他在家裡面一絲不掛，還怪朋友鑽進他的衣物，卻說他沒穿衣服。莊子處世非常隨順，但絕對不會讓別人側目，因為這是他的養生之道，但是後學學偏了，就有很多困擾。竹林七賢之一的阮籍，為了表現出新道家的姿態，母親過世了，每天照樣吃肉、喝酒，結果在母親出殯的時候，一哭就吐血。其實他心裡很傷痛，因為他很孝順。道家也講孝順，不過跟儒家是完全不同的境界。我們學莊子沒有必要走偏，而可以從正面來理解，化解空間、時間、義利的分辨、生死的區別。

《莊子・大宗師》說，陰陽兩氣與人的關係，無異於父母。它們要求我死，而我不聽從，那是我忤逆不孝，它們有什麼錯呢？天地用形體讓我寄託，用生活讓我勞苦，用老年讓我安逸，用死亡讓我休息。所以，那妥善安排我的生命的，也將妥善安排我的死亡。有個鐵匠在煉鐵，鐵塊跳起來說：「我一定要做莫邪劍。」鐵匠一定認為這是不吉祥的鐵。現在我們偶然獲得人的形體，就一直說「我是人，我是人」，造物者肯定會認為這是不吉祥的人。現在就以天地為大熔爐，以造化為大鐵匠，又有哪裡去不得呢！一棵樹被砍下來之後，有一部分做成了裝酒的酒樽，雕刻得非常漂亮，另外一段是廢棄的木頭，丟在水溝裡。同樣一棵樹，每一部分遭遇是如此不同。宇宙裡面就是一個氣的變化，命運的差別是沒有理由可說的。也許窮困的人反而更容易覺悟，因為他無所依靠，只能依靠自己內在的轉化，所以對生命的發展不必有情緒反應。安心接受所有的遭遇，處在一個順從的情況之下，哀樂就不會進入心中。我們講逆來順受，不要覺得委屈，任何事情的發生要看它的條件是否成熟，條件成熟的話，你就順著它發展，所以培養智慧是個關鍵，也就是莊子所謂的修練。

乘物以遊心：當下自在逍遙

莊子自處的最高原則是「乘物以遊心」，乘物就是掌握各種事物真實的條件，假設有一輛腳踏車，我就騎腳踏車；有一輛小轎車，我就開車；什麼車都沒有，我就走路。意思就是順著萬物的自然狀態，讓心神自在遨遊。這並不容易做到。其實我們做不到，是因為我們考慮得太多。中國人向來好客，若有朋友從遠地而來，每和一個人見面，就會被邀請吃飯，沒有什麼修練的機會。要學莊子，沒得吃可以激發想像力，孟子說：「飢者易為食，渴者易為飲。」（《孟子・公孫丑上》）肚子餓吃什麼都好吃，口渴了喝什麼都好喝，這是一般的現象，莊子也不反對。為什麼《莊子》書裡面有那麼多窮困的人，還能這麼快樂，理由也是如此。

顏淵之所以快樂，是因為領悟孔子的道。由真誠引發的力量，由內心去要求自己做該做的事，即「人性向善」。顏淵懂得這個道理之後，每天努力行善，而善是做不完的。莊子的快樂不一樣，他覺悟「道」是一個整體，我的生命在道之中從來就沒有損失，又有什麼好難過擔心的？別人的生活非常富足，要什麼有什麼，反而容易陷落在人間相對的價值觀裡面。什麼都沒有，反倒能像一艘沒有綁上繩子的船，到處漂蕩，因為沒有家，天地之間到處都是家；因為沒有任何東西，反而擁有了萬物。沒有任何缺陷，也沒有任何缺乏。

莊子所開展出的生命境界對後代文人影響很大。人活在世界上，本能就希望能夠得意，但這條路不通的時候，反而會轉一個彎。蘇東坡一生做官，在〈赤壁賦〉寫道：「唯江上之清風，與山間之明月，耳得之而為聲，目遇之而成色，取之無盡，用之不竭。」蘇東坡很能欣賞自然界，他在〈超然臺記〉也說過：「凡物皆有可觀，苟有可觀，皆有可樂，非必怪奇偉麗者也。」任何東西都有可以讓我欣賞的部分，只要可以讓我欣賞，一定能讓我覺得快樂，不必一定要找什麼稀奇古怪的東西啊！

我受到道家思想的影響，所以對於別人認為非看不可的風景、故宮博物院或各種珠寶都沒有什麼特別的興趣。人活在世界上要超脫實在不容易，我有個朋友做生意致富，買了兩幅世界名畫擺在家裡面。我們本來以為他那個平凡的家掛上世界名畫，應該增加很多審美的趣味，結果到他家之後，他只會說：你們知道這幅畫多少錢嗎？完全沒有任何審美的樂趣。價格不等於價值，美是一種價值，多少錢是一種價格。你如果有審美的情操，有這樣的能力的話，天下萬物無一不美。

孔子到楚國去，經過一片樹林，看見一個彎腰駝背的老人在黏蟬，就像從地上撿東西那樣輕鬆。孔子說：「您的技巧高明啊，有什麼訣竅嗎？」老人說：「我有訣竅。經過五、六個月的練習，我在竹竿頂上放兩顆彈丸而不會掉落，這樣去黏蟬就很少失手了；接著，放三顆彈丸而不會掉落，這樣失手的機會只有十分之一；等到放五顆彈丸而不會掉落，黏蟬就好像在地上撿東西一樣了。我站穩身體，像是直立的枯樹幹；我舉起手臂，像是枯樹上的枯枝。天地雖大，萬物雖多，我所察覺的只有蟬翼。我不會想東想西，連萬物都不能用來交換蟬翼，這樣怎麼會黏不到呢！」孔子回頭對弟子說：「用心專一而不分散，表現出來有如神明的作為。說的就是這位彎腰駝背的老人啊！」

莊子的道也是一樣，如果把世間相對之物都化解，領悟了道無所不在，人又怎麼可能失落？莊子提醒我們化解執著，由此能夠乘物以遊心，在當下體驗生命逍遙的境界。

對於莊子思想的說明，在這裡暫時告一段落，接下來所要講述的是莊子在生活上的應用，從外化而內不化，到天地有大美而不言。

主題三：外化而內不化

第一講：不與世俗爭勝

在為人處事方面，莊子有一個重要的觀念，「外化而內不化」。他對於人間各種表現的態度是「不與世俗爭勝」。《論語・憲問》中，有一段對孔子的描寫非常準確而生動，正好反應出孔子和莊子處世態度的不同。

古時候因為怕敵人混進城裡，會實施宵禁，大概晚上十一點城門就會關閉。子路有一次回城太晚，只好在城外過了一夜。第二天一早進城，守門人問他從哪裡來的，他說他是從孔家來的，守城門的人聽了說：「是知其不可而為之者也。」

歷史上常用這句話來描寫孔子，守城的人看過形形色色的人，各種信息都非常靈通，所以他對孔子的判斷具有客觀性。何謂「知其不可而為之」？明明知道理想不能實現但還是要做，顯得十分固執，儒家強調的就是擇善固執。我如果發現這件事情是對的、該做的，我就要堅持，所以知其不可而為之也成為儒家思想的特色。

天下再怎麼亂，只要是受儒家思想影響的讀書人，一定會盡其在我，但求問心無愧，然而誰有把握改善現狀？我在許多地方舉行演講，很多人勸我不要講了，因為這個社會還是那麼亂，我就說：「如果不講，恐怕會更亂。」我只能如此自我安慰，畢竟人生不能重來。國家的形勢、社會的發展不是一、兩個人就能決定的，有時候是整體趨勢的問題。如果我們把孔子了解為知其不可而為之，正好在《莊子》中也有「知其不可奈何而安之若命」的說法。

這兩句話的第一個字都是「知」，代表他們都很聰明，知道自己這一生的發展與限制。莊子知其不可奈何，因為戰國時代中期，已經沒有什麼改善的希望了，再奮鬥也只是螳臂擋車（《莊子．人間世》）。螳螂奮力舉起手臂來抵擋車輪，不知道自己的力氣無法勝任，還以為自己本領高強。因此莊子安之若命，安心地接受它，作為自己的命運，不再做無謂的掙扎。如此至少可以把握自己的生命，享受生命的每一個片刻。

莊子選擇將他的思想編纂成書，他常說，他提出這麼偉大的思想，能找到理解的人嗎？就連他自己也認為很難。一個人有了理想，當然希望別人能了解，但如果在當時找不到人，萬世之後能有人了解，就好像「旦暮遇之」，又何必在乎時間多久？所以莊子的智慧就毫無保留地表現出來，他知道順其自然，知其不可奈何而安之若命。

和光同塵，不露鋒芒

《莊子》對於孔子有非常多的描述，尤其在「外篇」、「雜篇」，很多地方就像在為孔子寫實況報導。孔子最有名的事蹟不是在魯國做官，因為大家已經習慣那個有問題的社會，孔子再怎麼努力也無濟於事。《莊子・漁父》中，孔子有四件事情常常被提到：再逐於魯，削跡於衛，伐樹於宋，圍於陳、蔡。

孔子曾兩次被趕出魯國。孔子年輕時，因為魯國內部發生了動亂，為了避免嫌疑，他逃到了齊國。第二次是在他出任司寇時，進而行攝相事，代理宰相之職，即使他很有能力，但是魯定公對他信心不足，在一次祭祀之後，沒有按照禮的規定把祭肉送給孔子，他就開始周遊列國。所以歷史上說他兩次被逐出魯國。

孔子在衛國待了很長的時間，說句題外話，很多人喜歡談論「子見南子」的八卦故事，說孔子在衛國遇到一個名聲不好的美女南子如何如何，但是孔子怎麼會在乎一個人長得美不美？現在回到正題，衛靈公在位時，國內情勢很複雜，靈公死後，由他的孫子接掌國君之位，因為其子跟夫人南子處不好而被趕出衛國。這個兒子聽說自己的兒子當了國君，一直想要回國搶回國君的位置。當時子路在衛國做官，為了維護他所效忠的國君，最後寡不敵眾被剁成肉醬。史書上寫孔子為了這事，好幾個月不敢吃肉醬。

子路忠肝義膽，卻落得這樣的下場，莊子說是孔子沒把學生教好，不知道如何化解災難，轉個彎再前進。當孔子從衛國離開之後，衛國人都不談孔子的事情，因為孔子的學生參加許多複雜的政治活動，這叫作削跡於衛，把他在衛國發生的事全部抹煞，就好像孔子沒到過衛國一樣。

第三是伐樹於宋。孔子批評宋國的大司馬桓魋，桓魋因而想殺孔子。後來孔子在宋國邊界的一棵大樹下講學，桓魋追殺過來，孔子帶著學生逃出邊界，桓魋就把那棵大樹砍掉。

而後孔子帶著學生逃至陳國、蔡國之間，卻因此被圍困，七天沒有開伙吃飯，孔子也覺得很困惑，我這麼一個好人，有學問之後想到各國幫忙，為什麼卻到處碰壁？

莊子質疑的就是這一點：究竟是你有問題還是別人有問題？想在世間追求某種成就，追求的時候又不了解世間的遊戲規則，只是堅持儒家的原則，這怎麼可以？但是莊子對孔子還是很肯定的，前面所有的鋪陳，就是為了最後替孔子翻案，讓他有重新說明的機會。

《莊子・讓王》寫孔子在陳、蔡之間被圍了好幾天，因為沒有飯吃，弟子們只好出去撿野菜，而孔子照樣在房間裡彈琴唱歌，子路與子貢受不了了，一邊撿野菜、一邊罵自己的老師：「我們這種老師要去哪裡找？要殺他的人無罪，罵他的人沒事，他還這樣彈琴唱歌，真是無恥。」顏淵聽了沒有多加回應，待回去後轉述給孔子聽。孔子便把子路、子貢叫到房間，子路說：「像老師這樣，可以說是窮困了吧！」孔子說：「這是什麼話！君子領悟大道的，稱為通達；隔絕大道的，就稱為窮困。現在我懷抱仁義的理想，卻遭逢亂世的禍患，有什麼窮困的呢！所以，內心反省而沒有隔絕大道，面臨危難而沒有失去操守。在天寒地凍、霜雪降下時，我才明白松柏的茂盛。在陳國、蔡國所遭受的困阨，對我來說其實是幸運啊！」孔子平靜地又彈起琴唱著歌，子路奮勇地拿起盾牌起舞。子貢說：「我真是不知道天有多高，地有多厚啊。」

得道之人，窮困時快樂，通達時也快樂，因為在他眼中，窮困與通達只是寒暑風雨的循環罷了。所以，許由能在潁陽愉快度日，共伯可以在共首山下自得其樂。這是儒家多麼美好的理想，我們內在的真誠使自己的快樂得到保障，外面的成功或失敗，不是我所能考慮的事情。這種人文精神真是剛健不已。

《莊子・秋水》中有一段文字描述孔子在匡城被圍困，我們在介紹孔子的時候談過，現在再來補充說一下。孔子周遊到匡地，有位學生替他駕馬車，這個學生以前替陽貨駕過馬車，匡地的百姓就以為車內之人是陽貨。由於陽貨曾經鎮壓匡地的人，他們心生不滿想要報仇，弟子們都緊張得不得了，孔子卻拿出琴開始彈琴、唱歌。匡人感到奇怪，陽貨這個人不像是那麼文雅的人，恐怕是弄錯了。他們打聽之後，才知道車裡的人是孔子，於是向他致歉。《莊子》對於細節的描寫就跟寫小說一樣，凸顯出儒家可貴的情操，但是卻認為它不合時宜，因為莊子的時代背景已經是戰國中期了。

莊子如何看待儒家？這可以用芻狗比喻。芻狗是用草扎成的狗，祭祀時放在祭桌上，讓大家跪拜，待祭祀完畢，芻狗馬上被丟棄，有的人撿去當柴燒，走路的人說不定還會踩過它。當令的東西，一旦過了時機，立刻變得一文不值。莊子說，儒家的思想在於把一文不值的東西搬過來，請大家實現。不過話又說回來，莊子對於孔子的情懷一向是肯定、欣賞、尊重的。

莊子自己又是如何面對亂世的呢？《莊子・山木》記載，有一次他帶學生到山上，他們坐在一棵大樹下乘涼，看到很多伐木工人在砍樹，學生就問砍樹的人說：「這棵樹那麼大，你們怎麼不砍呢？」砍樹的人說：「這棵樹長得彎彎曲曲的沒用，要砍就要砍直挺的樹。」這叫作「直木先伐，甘井先竭」。直挺的樹先被砍掉，因為可做棟梁之用，甘泉的水井先被人喝光，因為水質甜美。

莊子帶著學生們下山後，住進一個老朋友的家，可惜莊子並未記錄老朋友的名字。老朋友非常興奮，因為莊子來訪真是難得，於是他吩咐僕人殺一隻鵝作為款待，他的僕人就說一隻鵝會叫、一隻不會叫，要殺哪一隻？老朋友吩咐殺不會叫的那一隻。鵝可以代替狗看門的，會叫的代表仍有用處。第二天弟子問莊子：「砍樹的工人是砍有用的樹，殺鵝的卻是殺沒用的鵝，到底要怎麼做才對？」莊子說：「周將處夫材與不材之間。」該有用我就有用，該無用我就無用，要視情況而定。

關於莊子的智慧，我們不容易學到精髓，因為要下判斷。當避開小的災難，後面碰上更大的災難。現在先承受一些小的困難，反而化解了後面的問題。為了得到小的利益，說不定失去更大的利益。人生是一個連續發展的過程，好像連環套一樣，沒有絕對的好壞。

莊子最後的結論是，不要多想用與不用的問題，活著就設法在當下讓自己安頓，不要想著何處才能快樂。如果把自己的快樂建立在某種理想的情況上，就會很辛苦。因此莊子要做到隨遇而安，在任何情況下都可以快樂。

莊子也提到「機心」的問題，我們現在習慣的用法是心機，不過兩者的意思是相同的。與人相處要不要有機心呢？這一次他是以子貢作為例子。

子貢造訪楚國，經過漢水南岸時，看到一個老人家（漢陰丈人）拿一個甕要去澆菜。儒家之人都有一副善心，喜歡幫助別人，於是子貢就建議老人家使用桔槔。桔槔就是我們小時候在水井打水的簡單機器，費力少而成果大。老人家聽了臉色一變說：「我就是不喜歡做這種事，我的老師（據說是老子）告訴我，只要使用機械，這種東西叫作機巧，有機巧之事必有機心。」

機心存於胸中，則純白不備。常常想著該怎麼做才有利有效的人，心緒容易起伏不定，導致心神不寧，這樣的人不可能覺悟什麼是道。人生最後的目的是要悟道，因而就有選擇方法的問題，如果這一生都用機巧、都有機心，一路發展下去，也許這一生過得很得意，外表上很風光、很順利，但不可能悟道。

對莊子來說，不能悟道是最嚴重的事情。道代表整體，悟道表示能夠覺悟自己原來身處在整體之中，因而不會有成敗得失，也不必產生情緒反應，這種平和的快樂才是真正的快樂。

另外，《莊子》寫孔子周遊列國時碰到很多人，有一些在《論語》裡面甚至沒有記載。《莊子》中的〈漁父〉、〈盜跖〉，很多人都認為是偽作，司馬遷因此用這兩篇加上〈胠篋〉來描寫莊子，這當然不公平。宋朝的蘇東坡認為〈盜跖〉、〈漁父〉是偽作，因為其中對孔子的批判太過嚴苛，不像莊子瀟灑的態度。批評別人愈嚴厲，就代表自己愈放不開。要是自己不在意的話，無論別人說了什麼或做了什麼，一笑置之就好。

〈漁父〉記載孔子帶著學生經過一條河，河上有一漁父一面唱歌，一面划著船靠過來。漁父下船後，問子貢和子路，孔子有官位嗎？沒有；有百姓要照顧嗎？也沒有。既然孔子上面沒有國君，底下沒有百姓，整天卻栖栖惶惶地到處奔走，到底在忙什麼？為什麼不能讓自己過得愉快自在一點？

孔子喜歡學習，聽到有人教訓他就特別高興。孔門弟子中，子路就有這種修養。孟子說子路「聞過則喜」，聽到別人說自己的過錯就非常開心，我們一般人則是「聞過則怒」，完全是不一樣的氣度。

孔子聽到漁父批評他，態度恭敬地向漁夫請教，也確實得到很多啟發，最後漁父臨走前對孔子說：「你太可憐了，我已經沒辦法教你，只能點到為止。」因為孔子居然說：「請你收我為徒，我找一個地方住下，向你學習。」漁父每天打魚、唱著漁歌，多愉快啊，要是孔子一跟來，一堆學生也會跟著來，他哪還有什麼悠閒的日子可過，漁父便說：「不要了，我要離你而去了，你自己看著辦吧！」

孔子站在岸邊不敢動，彎腰屈膝，等到漁夫走了，划槳的聲音都聽不到才緩過神來。子路就不高興了，問：「您與國君分庭抗禮，諸侯也要先對你鞠躬施禮，從來沒看過您對別人這麼客氣，一個漁夫有什麼了不起？」孔子答道：「不要亂說話，你這個粗淺的人，他是有道之人。」莊子故意用這個故事來凸顯道家的高超卓越。

許多人說孔子是入世的，代表儒家；莊子是出世的，代表道家；這種分類法太流於表面。《莊子》一書中寫到孔子說：「我們是方內之人，他們是方外之人。」因而出現一種說法，方內代表入世，方外代表出世。方代表天地四方，就是人間，但這只說對了一半，因為方內之人無法想像什麼是方外，但方外之人完全了解什麼是方內，差別就在這裡。儒家除了孔子及少數幾個學生之外，大多不了解道家，但是道家的老子是周朝的守藏室之史，歷史資料他都看了。莊子呢，司馬遷說他其學無所不窺，所有的學問、所有的書本沒有不看的，所以道家絕對了解儒家。但是哪一種思想比較適合人間呢？還是儒家。

《莊子・大宗師》記載，子桑戶死了，尚未下葬。孔子聽到消息，立刻派子貢前去幫忙，卻見孟子反與子琴張兩人，一個編竹簾，一個敲著琴，一起唱著歌說：「哎呀，桑戶啊！哎呀，桑戶啊！你已回歸真實，而我還是人啊！」子貢上前說：「請問對著屍體唱歌，合乎禮嗎？」兩人相視而笑，說：「你哪裡知道禮的意思？」子貢回去後，把所見所聞告訴孔子，並且說：「他們是什麼樣的人呢？不用禮儀來修養德行，而把形體表現置之度外，對著屍體唱歌，且臉色絲毫不變。真是沒法描述。他們是什麼樣的人呢？」孔子說：「他們是遨遊於世俗之外的人，我是遨遊於世俗之內的人。外與內是不相干的，我還派你去弔喪，是我太淺陋了！他們正與造物者作伴，遨遊於天地大氣之中。他們把生看成多餘的贅瘤，把死看成膿瘡潰破一般。如此之人，又怎知死生好壞的區別呢？在他們眼中，生命只是假借不同的物質，寄託在同一個軀體上。忘記在內的肝膽，也排除在外的耳目；生命的開始與結束是反覆相接的，不知道何為頭緒。自在地徘徊於塵世之外，並逍遙於無事之始。他們又怎能慌亂地遵行世俗的禮儀，表演給眾人觀看呢！」

依循天下之大戒：命與義

莊子在〈人間世〉借孔子之口說：「天下有兩大戒律：一是命，一是義。

子女愛父母，這是自然之命，也是人心所不可解除；臣子侍奉國君，這是人群之義，無論任何國家都不能沒有國君，這在天地之間是無可逃避的。這叫作大戒律。所以子女奉養父母時，無論任何處境都讓他們安適，這就是孝的極致。臣子侍奉國君時，無論任何事情都讓他覺得妥當，這就是忠的典範。」

這個觀點很好，人生有所限制。我們總是父母生養的，所以對父母的孝心命中注定，是「不可解於心」，不能因為學道家，就把父母親當作不相干的人。《莊子》的內容也有多處談到孝順，不過他的孝順不只是儒家按照禮儀的孝順，他強調的是「適」。孝順就是讓父母親在任何地方都覺得安適，而不是一味的讓父母吃得好、穿得好。

第二個限制是義，道義的義。有國才有家，古代雖然沒有嚴格的法律，但是到任何地方，如果完全不管法律，也生存不下去，這就叫作「無所逃於天地之間」。「無適而非君」，到任何地方都有國君，而非化外之地，只有野生動物相伴。

說到野生動物，那種與人隔絕的日子也不好過。《莊子・徐無鬼》有一段記載：徐無鬼由於女商的安排，前往拜見魏武侯，最後武侯非常高興，笑了起來。徐無鬼出來後，女商問他對君侯說了些什麼，讓君侯這麼高興呢？徐無鬼說：「我只是告訴他，我怎麼相狗與相馬而已。」女商說：「就只是這樣嗎？」徐無鬼說：「你沒有聽過越國有被流放的人嗎？離開國家幾天後，遇見認識的人就很高興；離開國家一個月後，遇到曾在國內見過的物品就很高興；等到離開國家一年之後，遇到像是同鄉的人就很高興。這不是離開故人愈久，思念故人愈深嗎？至於逃難到空曠荒地的人，野草把黃鼠狼出沒的路徑都堵塞了，長久居住在曠野中，聽到人走路的腳步聲就高興起來，更何況是有兄弟親戚在身邊談笑呢！很久沒有人用真實的言語在君侯身邊談笑了啊！」

莊子的言下之意是，一個人愈有成就，距離人的真相就愈遠，也愈容易不像一個人，因為他與人之間的隔閡愈來愈深。印度教的一個觀念很好，每一次為自己的利益做出選擇，就離開真我愈遠。因為你得到，別人就失去，你得到愈多，與他人的距離就愈遠。真正的我和別人是打成一片的，卻使身體互相排斥，心智仍可以溝通，靈性打成一片。我們講靈性往高處走，印度教是往低處走、往內在走。把內在一層層剝落，剝落到最後即為普遍的大我，我與其他的我合而為一。

隨順客觀形勢：順人而不失己

只要身為人，就無法避開命與義，既然如此，何不隨順？無須強迫自己一定要如何，而是要讓自己不受干擾。明知無法避免卻仍一心想要這麼做，反倒會因為你心心念念不忘而避不開。

其實道家所謂的無為，簡單來說就是無心而為，不要有刻意的目的，不要認為有什麼事非做不可，等到時機條件成熟，你根本無須花費任何力氣就可以做成。因此，要隨順客觀的形勢。

莊子談過很多類似的道理，其中有一句「順人而不失己」，我順從別人，但是並沒有失去我自己。我有人的外表，就要活在人的世界，但同時我有內心，這個內心我能夠自己負責。所以外表我要同人相處，內心則要覺悟自己的根源，我是從道來還是從自然界來的？因此，這一點如果沒有學好，就會變成內外分裂。相反的，道家沒有分裂的問題，因為他就是要從「道」這個整體來看待自己的整個生命。

我們對照儒家與道家，孔子的作法是「知其不可而為之」，因而有一種偉大的情操、人文的精神、人道的關懷。雖然後代學者對孔子的評價非常正面，也非常高，但是以孔子的生平來說，真是讓人同情不忍，太辛苦了。他的學生們也一樣，跟著這樣的老師，本來以為碰到最好的機會了，到最後天下還是大亂。孔子內心顯示一種嚮往，他有一次對顏淵說：「用之則行，舍之則藏，惟我與爾有是夫。」（《論語・述而》）孔子一生只有對顏淵說過這樣的話，有人用我們，我們就出來做官，別人不用我們，我們就隱藏起來，這樣的事，只有我與你兩個人做得到。

從「沒有人用我，我們就隱藏起來」，代表孔子也能了解道家的想法，這也是為什麼《莊子》一書中對孔子特別推重，全書中引用的古人大名以孔子最多。我不只一次提過莊子尊敬孔子，譬如說他「行年六十而六十化」（《莊子・則陽》）。孔子從十五歲立志求學以後，就一直在變化及成長，三十而立，四十而不惑，五十而知天命，這不是每隔十年就有大的變化嗎？莊子就說他行年六十而六十化，代表過去以為真的、對的，今天才知道是假的、錯的。但是你今天以為真的、對的，未來也不一定如此，莊子以這種方式來描寫孔子，代表他不斷在成長，並且與時俱進。

孔子的學生曾參，剛開始做官的時候，所賺的錢大約只有一百元，幾年後，所賺的錢成長了一萬倍。但是曾參卻說，我賺一百元時，我們一家人雖然窮，但窮得很快樂，因為我把賺得的錢全部用來奉養父母。現在我賺的錢多了，可是父母不在了，賺錢對我來說有什麼意義？很多人問孔子曾參覺悟了嗎？他說這樣不能算覺悟。如果覺悟的話，根本就不會在乎是一百元還是一百萬元。錢不是重點，真正要孝順，心意最重要。

這裡特別提到曾參，是因為接下來談論外化，把儒家的孝順，與莊子所說的「不能解於心」的命一起說明。從此處開始談「外化」，外表與別人都化成一樣的情況是最適合的。真正覺悟的人，看待富貴就像鳥雀蚊虻從眼前飛過一樣，人間所有的富貴，過去就沒有了，人真正能夠保留的，是內在的自我。

第二講：外化的祕訣

莊子思想如何應用在生活上？簡單來說就是「外化而內不化」（《莊子・知北遊》）。從字義解釋，我的外表和別人都一樣，但是內心不受任何干擾，不會隨著外表而變化。莊子講這句話，是在批評有些人外面不肯化，但內在早已化了。外在的情況特立獨行，與眾不同，但內在根本就沒有自己的立場，只看情況對自己是否有利，根本沒有中心思想或清楚的價值觀。

內外化的組合有好幾種，第一，外化內也化，外表與別人同化，內心也同化，即沒有自我。有些人拿存在主義與莊子對比，不過存在主義分為很多不同的小派別，甚至可以說每個人都自成一派。如果我的存在主義，和別人同一派，就代表我的存在不夠澈底。存在是指選擇成為自己的可能性，生命由我自己負責。外化內也化是現代人的常態，別人穿什麼名牌、開什麼名車，我都要跟著學，用錢裝扮自己，外面完全同化了，而內在也化掉了，這樣的人根本沒有自己的想法，看到時勢風潮怎麼變，就跟著怎麼變。

第二，外不化內也不化，這種人就是老頑固了。我有自己的想法，外表我也不化，這叫食古不化。很多人談國學，但到最後大家都聽不下去，因為時空條件無法配合，最後甚至還要恢復古代的帝制或封建社會。這是代表復古嗎？我想若是孔子天上有知，他也不會認同的。

孔子在《論語・微子》說他自己「無可無不可」，莊子是「外化而內不化」，這些哲學家的話都很有趣。何謂無可無不可？若光從字面上來看，似乎是我沒有要這樣，也沒有不要這樣，這不是牆頭草嗎？把孔子說成牆頭草，顯然有誤。孔子真正的意思是，通權達變或守經達權。經代表經常，我守住原則，但在應用要有變化，所以儒家也強調不能食古不化。《莊子》對孔子的描寫比較偏向他只知復古的立場，這其實是冤枉了孔子。

第三，外不化而內化，內心多變而不能隨外物變化。至於最後一種，就是莊子的標準答案，外化而內不化。如果有一個莊子的學生站在你面前，他會讓你完全看不出來他是道家的門徒，如果被你發現，代表他學得不夠徹底。

明白生死的常態現象

莊子平常也穿儒服，〈說劍〉提及這一點，這大概是當時讀書人的習慣。不過，莊子對於服裝與實質的關係，似乎特別重視。

《莊子・田子方》記載一段寓言，其文如下：

莊子晉見魯哀公。哀公說：「魯國的儒者很多，而學習先生這套方術的人很少。」莊子說：「魯國的儒者很少。」哀公說：「全魯國的人都穿著儒服，怎麼能說少呢？」莊子說：「我聽說，儒者中戴圓帽的，懂得天時；穿方鞋的，明白地形；佩帶五色絲繩繫玉玦的，遇事有決斷。君子有某種修養的，未必穿某種服裝；穿某種服裝的，未必了解某種修養。如果您認為我說的不對，何不下命令說：『不具備儒者修養而穿著儒服的，都要處以死罪。』」於是哀公發出這道命令，五天之後魯國沒有人敢再穿儒服，只有一個男子穿著儒服站在哀公府的大門外。哀公召見他，徵詢他對國事的意見，問題千變萬化，他都從容應答。莊子說：「全魯國只有一位儒者，可以算多嗎？」

這只是一則寓言，魯哀公的年代比莊子早了一百多年，不過或許因為孔子過世在魯哀公十六年，再加上孔子是儒家的創始者，莊子才會想要與哀公對話，揭穿儒者在服裝與實質之間的落差。幸好魯國還有一位真正的儒者，你問他國家大小事情，他可以「千轉萬變而不窮」。莊子對於這樣的儒者，無疑是肯定及嘉許的。

莊子穿儒服的畫面也在〈說劍〉中出現過，大家可以再回頭看看「主題一」提到的這則故事。

談到外化，就要參考儒家思想，因為儒家重視人與人的關係，發揮於生活上的應用，就是如何與人相處，這裡要考慮三點：第一，內心感受要真誠；第二，對方期許要溝通；第三，社會規範要遵守。

與人相處時，內心感受要真誠，不要虛偽。虛偽就是應付。真誠相處就是：有三分感情，絕不說四分；有十分感情，也不會隱藏一分。

但是真誠不容易做到，千萬不要以為真誠就是單純的天真，我有好心就夠了，所以很多人學儒家到最後卻常常受騙。這並不是儒家的意思，受騙絕對不是好事，儒家學說不會讓你受騙，是你自己沒有學通。子曰：「好仁不好學，其蔽也愚。」（《論語・陽貨》）喜歡做好事，不喜歡學習，不懂人情世故，後遺症就是愚笨。

儒家的真誠需配合智慧判斷。假設我和他是多年同事，平日對彼此都很客氣，參加員工旅遊時，我發生危險，掉到水裡快淹死了，他跳下來救我，成了我的救命恩人，以後我們的關係還會只是客客氣氣的嗎？不可能的。為什麼？因為我們經過患難就變成好朋友了。真誠不只是表面上客氣，而是隨時保持變化的彈性。有時候是不打不相識，以前的敵人，比武之後變成朋友；也有可能本來是朋友的，經過一件事之後，才發現其實沒有那麼好。

儒家的真誠要求隨時對自己負責，《論語》裡講到「忠」，忠就是真誠，不要只把忠看作愚忠，曾參說：「為人謀而不忠乎？」為他人做事是否盡心盡力？如果別人叫我做什麼我就做什麼，萬一是壞事怎麼辦，那還叫儒家嗎？所以「忠」還包含了真誠的心意。

第二，對方期許要溝通。對方對我有什麼的期許與要求，要理性的溝通，不能一廂情願，也不能一意孤行。如果我是學生，父母對我的期許是好好讀書；我在社會上工作，父母的期許會變成希望我好好做事。而且，同一個人，昨天希望我做這件事，明天不見得仍然要我這麼做。同樣是朋友，張三希望我這樣做，李四不見得如此。總之，對方的期許可能會有變化，所以要溝通，溝通之後才會發現有落差，原來你期許的超越我對你的感受。我對你只有三分感情，你要我做的事需要五分感情，那就很抱歉，我們的交情還沒那麼好，我只能助你三分。舉個簡單的例子來說，你向我借十萬，但因為我們沒有特別的交情，所以只能借你三萬。當然，拒絕的話可以講得婉轉一點，但是如果不溝通的話，會有什麼情況？你只想借他三萬，他向你借十萬，但是總不能為了金錢撕破臉，你就勉強借他十萬，結果你自己也難過。

人與人之間的關係很微妙，無法要求絕對的公平，有些人先付出再回，有些人付出卻不求回收，所以每個人都要對自己負責，真誠面對自己的感受，對別人的期許則要理性的溝通，透過互相交流，人際關係可以坦坦蕩蕩。

最後，社會規範要遵守。國有國法，家有家規，無論在什麼團體之中，都要遵守一定的規範。

做人處世能夠考慮以上三點，這一生就不會有太大的問題，因為你跟別人都是按照這三個原則來互動。不過這又衍生出新的問題，這三個原則會不會互相衝突呢？老實說，衝突經常發生，不過沒有衝突就不是人生了，沒有掙扎就無法成長。不要害怕衝突，衝突正好讓你調整自己的心態，也能讓你仔細思量，你真正重視的是什麼。原則上第三點所謂的社會規範是限制原則，與別人相處盡量不要違背社會規範，因為如果違背社會規範，你們之間再怎麼有默契，社會規範還是會造成壓力，那就要共同面對了。

如果對方期許太高，你要試著與對方溝通。我常講陪父母打麻將的故事。

我母親半身不遂，身為子女，我當然希望她快樂，我問她我該怎麼做，她才會比較開心？學儒家會變體貼，母親沒想到我忽然變得那麼善良，一時間沒有心理準備，遲遲沒有回答。

我只好按照和別人相處的第三個原則，遵守社會規範，亦即成年之後工作賺了錢，一定要給父母生活費。我也不例外，且每隔幾年就會增加該給的金額，這一次父母沒說，我想主動增加。我的想法其實很單純，以前家裡窮，尤其還有七個兄弟姊妹，母親都把錢抓得很緊，現在我有能力了，我給妳多一點錢，妳應該會快樂吧？

結果她卻說：「你給我錢沒有用。」這真是出乎我的意料之外，我說：「怎麼沒用？」她說：「我現在癱瘓了，我不能吃很多東西，也不用買很多衣服，錢沒用了。」我又想到「揚名聲，顯父母」一語，子女在外面有好的名聲，讓父母很有面子，這也算孝順。我就跟母親說：「我常常在外面演講，名聲還不錯，妳應該也會因此感到高興吧？」她聽了之後說：「別人又不知道我是你媽媽。」所以給她錢沒有用，給她名用不到，我就很煩惱，又再問了一次：「那妳到底要我怎麼做？」我想知道她對我的期許。

她想一想之後就說：「你要我快樂只有一個辦法，陪我打麻將。」

我就這樣開始學打麻將了，學會之後，一到週末就回家陪父母打麻將。打麻將的時候母親真的很快樂，她坐著輪椅上了牌桌，完全忘記生病，比我們都還要有活力。

我陪父母打麻將，憑良心說樂趣很有限，因為只能輸不能贏，每一次贏她，她就說我不孝順。但是我本來就希望她快樂，所以輸一點錢也無所謂，只要了解就可以化解。

我了解什麼？父母把我生下來、把我養大，我現在成年了，每星期陪他們打一天麻將，拿一點錢給他們，這叫天經地義，沒有什麼好商量的。所以我父母在世的時候，一到週末我只要沒有安排工作，母親一通電話來，我就會二話不說立刻回家，因為我知道我能夠孝順她的只有這個方法了。

老實說，有時候會覺得很辛苦，我主動告訴母親說不要打太久，要她注意身體，但事實上是我自己覺得很累了。但是現在父母都過世了，要是能讓我重回當時的情況，再累我也要打，人就是這樣子。

但是人與人相處沒有那麼簡單，因為當一個人的期許得到滿足之後就會不斷提高，我利用週末回家陪父母打麻將的情形持續了半年，某一天我母親忽然說：「你不是希望我快樂嗎？」我說：「是啊。」她說：「你現在不是當教授，一星期不是只有八節課嗎？」我說：「是啊。」她說：「那你為什麼不每天陪我打麻將呢？」

她提出這麼高的要求，我只有兩個選擇，第一，我說行，每天陪她打麻將，但這麼一來我還有時間讀書做學問嗎？第二，我說不行，但這就要好好解釋，說出能讓她信服的理由。

想了想後，我說不行，果然，她馬上就問為什麼不行。我說了兩個理由。學哲學就有這樣的好處，想都沒想就能找到兩個理由。

第一：我們做子女的陪父母打麻將自己也很快樂，這種快樂我不應該一個人獨占，因為我有七個兄弟姊妹。還有第二個理由，我說：我除了是妳兒子之外，還有另外六個角色要扮演，結了婚是先生、有小孩是父親、在學校是老師、在社會上是公民、自己是很多朋友之一，也是兄弟姊妹之一，加起來正好七個角色。

我說，一個星期有七天，妳生了七個孩子，我有七個角色要扮演，那麼我每星期陪妳一天不是正好嗎？說實在，講完的那一剎那，我自己都覺得無懈可擊，因為我把兩個人的情況都考慮到了。

我母親當然也很聰明，她立刻說：「好，以後你每星期陪我一天，我就滿意了。」

所以人與人相處最難的是找到一個穩定的模式，長期維持和諧的關係。一旦做到了，彼此之間的感情很容易愈來愈好，但是好到一個程度，不能穩定下來，到最後就負荷不了。我從此以後和父母來往都很穩定，我也把這樣的經歷延伸到跟其他人來往的情形上。

為什麼人到中年之後不太敢交新朋友，因為交朋友要互相關懷，要花時間與力氣，很不容易。認識幾個新朋友，自然就疏遠老朋友，老朋友問怎麼好久沒有聯絡？因為你去跟新朋友來往了。所以每一個人都要體諒自己的限制，不要給自己太大的負荷。

莊子說：「君子之交淡若水，小人之交甘若醴。」（《莊子．山木》）君子之間的交往淡得像水，但卻是生生不息、活潑流動的，小人之間的交往像酒，甜得不得了。君子平淡而能相親，小人平淡而易斷絕。所以，我們怎麼找到一個穩定的模式，跟所有的朋友都維持長期和諧的關係，這是很不容易做到的，這才是儒家的思想。你如果把儒家思想學會的話，講到莊子的外化而內不化，「外化」兩個字就有著落了。

孝順的初階：敬，愛，忘親

《莊子．天運》中提到孝順的說法，真是讓人大開眼界。莊子說孝順有六個階段，我們聽到六個階段，就知道一定不容易做到。一般來說，儒家只注意到前兩個階段。

原文是：「以敬孝易，以愛孝難；以愛孝易，而忘親難；忘親易，使親忘我難；使親忘我易，兼忘天下難；兼忘天下易，使天下兼忘我難。」用恭敬來行孝容易，用愛心來行孝較難；用愛心來行孝容易，行孝時忘記雙親較難；行孝時忘記雙親容易，行孝時使雙親忘記我較難；行孝時使雙親忘記我容易，我同時忘記天下人較難；我同時忘記天下人容易，使天下人同時忘記我較難。

第一，用尊敬來孝順，第二，用關愛來孝順，這兩點是儒家的拿手本事。用尊敬來孝順，晨昏定省，按照禮的規定來做，這其實並不難。用愛心來孝順，代表不是只有外在的尊敬，還要有內心的關愛，這兩點儒家經常強調。

孔子回答子游問孝，說：「今之孝者，是謂能養。至於犬馬，皆能有養，不敬，何以別乎？」（《論語・為政》）孔子說，現在所謂的孝順只是奉養父母，可即使是犬馬也都能服侍人，如果沒有抱持著尊敬的心，又如何區別這兩者呢？

孔子也說：「色難。」保持神情愉悅是最難的，有深厚的愛心，表情自然愉悅。有一句話是這麼說的，「久病無孝子」，尤其我母親臥病三十年，我們做子女的每次回家都要保持和悅的臉色，這不容易。有時候母親還要反過來看我們的臉色，看我臉色不錯就說：「你今天臉色看起來不錯，帶我去外面走一走吧！」

第三，孝順的時候忘記父母親。莊子很喜歡講忘記。讀書時喜歡交朋友，打電話和朋友說悄悄話時，最怕父母打擾，這代表你重視朋友超過父母親，所以要練習孝順到忘記父母親是父母親，任何話都可以跟父母親說，父母親才會覺得你是真的孝順。天下多少父母親希望成為子女的朋友而不可得，我們這樣對待我們的父母，將來我們的子女也會這樣對待我們。莊子深刻了解這一點，孝順要到忘記父母親。

孝順的高階：使親忘我，忘天下人，使天下人忘我

第四，行孝時使雙親忘記我。你孝順到父母親覺得你和他像如魚得水一

樣，在江湖裡面忘了誰是誰，也就是讓父母親忘了自己是父母親。有沒有這種情況呢？二十四孝的故事中，有老萊子戲彩娛親，他到七十幾歲的時候，經常穿著彩色的衣服，跳舞給父母親看。這種畫面，只有父母親才看得下去，在父母眼中，孩子永遠是孩子。他還有一個絕招，一摔跤就裝出嬰兒的哭聲，讓父母親安慰他。在某個層面上，他就符合莊子的想法。

第五，也是忘，孝順到忘記天下人。孝順干天下人什麼事？這個社會喜歡指指點點，《論語・先進》也有相關的資料。孔子說：「孝哉閔子騫，人不間於其父母昆弟之言。」意思是別人對於他的父母、弟弟說他的好話，都沒有任何懷疑。閔子騫的母親過世後，父親娶了後母，後母偏愛親生的兩個兒子，虐待閔子騫，冬天給他穿的棉衣裡面填的是蘆花。某日父親叫閔子騫駕車，但他因為太冷了沒控制好方向，父親一鞭打下去，衣服破了露出蘆花，父親看了很生氣，想要休妻，可他卻跪求父親，說：「母在一子寒，母去三子單。」所以別人不會懷疑他的家人稱讚他是真是假，代表天下人都忘了他們是在孝順，而是很自然的。

我們在孝順的時候，很難忘記天下人。有一個故事叫父子騎驢，父子兩人趕驢進城，兒子騎驢，旁人說他不孝順；父親騎驢，被批評不夠慈愛；兩個人一起騎驢子，驢子怎麼受得了；最後，兩人只好抬著驢子進城。天下有幾人能夠做到不在意別人的目光和質疑。其實人與人的關係，都能由此思考，每一個關係都是獨特的，我們無法控制別人要怎麼說，但是我們可以選擇不要放在心上。

沒有一個人不會遭受批評，我教書教了三十多年，仍然受到很多人批評，但我的原則很簡單，我就是一個單純的教書人，沒有讀通的絕不敢講，講了我一定努力去做，我不一定做得到，但是我會盡力。我的父母當年是從上海來到臺灣的，後來兩岸開放探親後，父母前後去了三次，老家的親戚都很高興，尤其是我們兄弟姊妹在社會上都有正當職業。因此，一個親戚就問我母親：「妳的七個小孩中，哪一個最孝順？」通常稍微聰明一點的父母都不會回答這個問題，因為說了一個就得罪六個，但我母親的個性很直，她馬上就回答：「老三。」那個人就是我。

我母親回來臺灣還跟我說這件事，我聽了非常訝異，因為我母親有四個女兒，三個兒子，當然是女兒最孝順，照顧母親不遺餘力，尤其學護理的那個妹妹，我真的很感激她，她替我們兄弟做了許多事。

我母親當著大家的面說：「二十幾年以來，一年四個日子父親節、母親節、爸爸生日、媽媽生日，你從來沒有忘記過要送紅包。」

我經常在外面教書、出國開會，但我很習慣從別人的角度來設想，我想母親生病那麼久，她每天就在等這些日子，所以二十幾年來，我從來沒忘記過。沒想到母親記得這件事，還說我是最孝順的。我覺得既慚愧又感動，孝順是不能用錢衡量，但母親看到了我二十幾年來的用心。其實人和人相處就是這一份用心，你們是什麼關係，要維持什麼樣的關係，尤其像父母子女是天生的，每一個人的父親母親就像天地一樣。所以，學會儒家的思想要孝順，學會道家的思想也一樣，莊子也強調人不能忘記這一點。

有些人問我，一生最得意的事是什麼？以前我說是編了一本教科書，高一公民第二冊，我把我的心得都寫在其中。那時我最得意的事就是能夠對社會做一點事，把我學習的心得寫成教科書，教育學子。但是現在我會說，母親說我最孝順，這才是我一生最得意的事。當然，人不應該只局限在家庭中，必須開闊視野，所以我們與別人的關係，從最近的家人到天下人都要能夠照顧到。為什麼我們一再強調孔子「老者安之，朋友信之，少者懷之」的志向？這是多麼偉大的一種理想，這是一個人把對家庭的愛，推廣到去照顧天下人。

莊子也希望天下人都能夠過得平安，最好回到黃帝以前的時代，大家在自然界生存，沒有人想加害別人，動物也不會傷害人。孔子認為將來有機會要完成大同的世界，莊子與老子認為早就有過那個時代，只是人類往下墮落，並且愈陷愈深，所以不可能再恢復到那種純樸的境界，但是你可以掌握個人生活的小小範圍。學習道家不是回到小國寡民，而是每一個人都要有默契，並且做到外化，外表與別人同化，入境問俗而隨俗。

莊子講過好幾次，「泉涸，魚相與處於陸、相呴以濕、相濡以沫，不如相忘於江湖。」（《莊子・大宗師》）泉水乾涸了，幾條魚一起被困在陸地上，互相吹氣來溼潤對方，互相吐沫來潤澤對方，這實在不如在江湖中互相忘記對方。父母子女都是道的子女，莊子說過陰氣和陽氣對人來說無異於父母親，我們有生我們身體的父母，但不要忘記父母也有他們的父母，大家在道裡面覺悟的時候一概平等，不再有明確的人際關係，因為一講人際關係就是分，但是身處在道之中就要合，所以莊子說最後孝順到讓天下人都忘記我們在孝順，這就是魚相忘於江湖一樣的情況，也就是道家的理想。

道家對於人間的現象，不會刻意反對，因為當你要反對別人的作為時，代表自己也有某種執著。道家強調隨順、外化，化到最高境界，讓一切回到原始融合的狀態，那種狀態沒有快樂，也就沒有悲愁。沒有說誰孝順，也就沒有不孝的問題。一旦區分孝不孝順，馬上就產生問題，因為會有新的壓力。

事實上，我母親說我最孝順之後，兄弟姊妹看我都不順眼，但我也不是故意的，我這麼做純粹只是想要盡一點心力，讓父母不要擔心，壓根沒想到將來要跟手足比賽誰最孝順。母親晚年總會得意的跟我們說：「你們看，我雖然癱瘓了，但我今年又存了幾十萬。」那些錢當然都是我們這些子女送給她的，但能讓她高興又有何妨呢？後來她設立了獎學金，只要孫子、孫女、外孫、外孫女考試考九十分，就會發一百元，所以孫輩們對她特別孝順，一見面就奶奶、外婆好，老人家常被逗得很開心。

這也是一種生活趣味，其實每一個人都可以從生活裡找到外化的方法。

第三講：內不化的快樂

有許多事情要做，叫作忙碌，忙碌多了變成盲目，盲目久了變成茫然。忙碌的「忙」字左邊是心，右邊是亡，心不見了；盲目當然是眼睛不見了；最後，茫然就變成一個比較複雜的字了。

茫然代表不知該怎麼辦，六神無主，這叫內化。現代人為什麼容易內化，亦即內在的自我不見了？因為有太多外在的誘惑、干擾。為什麼西方的存在主義在二十世紀五〇年代以後特別盛行，因為存在主義也針對這樣的問題提出解釋。他們用「是」和「有」這兩個字來分辨，「我是什麼」不等於「我有什麼」。一般來說，我有什麼就等於我是什麼，與人見面交換名片，一看就知道你有什麼頭銜、有什麼樣的公司、有什麼樣的地位，但是你「有」的愈多，你「是」的可能愈少。

「有」與「是」常成反比，因為花時間經營外在，得到了很多外在的成就，但內在的自我反倒茫然，不知道所得到的是不是自己真正想要的。往往都是別人說這個很好，我就去追求，得到之後才發現浪費了時間和力氣，反而忘記了我自己想成為什麼樣的人。所以，怎麼把「是」與「有」分開，是現代人的課題。既然我有不等於我是，那麼能不能光講我是而不要談我有？這也不可能。「我是什麼」是根源，「我有什麼」則是外在的結果，而外在的結果要看條件而定。

假設我在十年前努力工作，但賺不到什麼錢，我現在努力工作，賺了很多錢。同樣努力工作，為什麼差別那麼大呢？因為經濟環境不一樣了。所以重要的不是你在外面得到多少東西，而是你「有」的愈多，恐怕「是」的愈少。

存在主義有一句名言：To possess is to be possessed.（擁有就是被擁有）我擁有一輛車、一間房子，但是我的車子、房子也擁有我。有車子就要找停車位，又要擔心車被偷走。如果我沒有車子，在任何地方都很自在，不被東西所占有。但這並不表示什麼都不要，不在乎經濟發展，而是自己要轉變態度，能夠擁有而不被擁有。

悟道：得其環中，以應無窮

戴奧基尼斯（Diogenēs ho Sinōpeus, 412BC-323BC）是希臘時代的哲學家，住在木桶中，亞歷山大大帝聽說他很有智慧，特別去拜訪他，想請教他人生的問題。但是他只說，請你走開，不要擋住我的陽光。亞歷山大大帝生在帝王之家，擁有不同的人生觀與使命感，他還征服歐亞非三洲，但很可惜，他擁有這麼多，卻只活了三十三歲。從莊子的角度來看就是不及格。

〈逍遙遊〉說：「鷦鷯巢於深林，不過一枝；偃鼠飲河，不過滿腹。」小鳥在濃密樹林裡築巢，所需要的不過是一根樹枝；土撥鼠到大河邊喝水，所需要的不過是裝滿一個肚子。這是莊子很簡單的比喻。有些人喜歡把他跟存在主義比較，因為他們都知道，什麼是身外之物，什麼又是身內之物，一個人的內在如果化掉，就沒有自我可言。

海德格是當代存在主義最主要的代表，他說現代人忘記了什麼叫根本，只注意到好奇心。試想，我們每天看的報紙充斥著八卦，看完後與別人聊天也聊八卦，要不然就是對其他人、外界其他事物感到好奇，注意力全都向外，並未回過頭來關注自身，這麼一來也無所謂內在化不化的問題，因為根本沒有內在的世界。

為什麼要強調內不化？內在到底有什麼東西？莊子常講「形若槁木，心若死灰。」講內不化，一定表示內在有什麼東西是穩定的、不受干擾的。如果身體像槁木一樣，心智像死灰一樣，代表我身體不再有本能衝動，心智也不再有欲望、偏見，如此修行的結果出現了「精神」。

莊子把心智經過心齋修練後，展現出來的狀態稱作「精神」，又稱作靈臺或靈府。一個人沒有任何修練，身體會自然成長，但精神不會自然出現。一個人缺少修練，不會忽然感覺自己跟別人打成一片。精神的出現叫作「內不化」。你什麼都可以放棄，可以放棄一隻手、一隻腳、身體的健康，可以放棄很多相對的知識，因為知識基本上真是相對的。莊子在〈養生主〉一開頭就說：「吾生也有涯，而知也無涯，以有涯隨無涯，殆已。」我的生命是有限的，頂多活一百年，但知識是無限的，用有限的生命追求無限的知識，實在是危險啊！

我在美國求學的時候，耶魯大學的圖書館藏書七百萬冊，對我們來說那只是一個數字，你能看幾本？有一次我搬家時，一個工人搬著我的一堆書說，我這輩子看完這一堆就不錯了。我聽了笑一笑，真羨慕他不用像我們買了幾百本書、幾千本書，能看完嗎？光是看已經不簡單了，還要消化了解，那是不是忽略了人生真正重要的部分？

《莊子‧天道》中，有一段齊桓公讀書的故事。

齊桓公在堂上讀書，輪扁在堂下做車輪。輪扁放下錐鑿，上堂去問桓公說：「請教大人，大人所讀的是什麼人的言論？」桓公說：「聖人的言論。」

輪扁說：「聖人還活著嗎？」桓公說：「已經死了。」輪扁說：「那麼大人所讀的，不過是古人的糟粕罷了。」桓公說：「寡人讀書，做輪子的人怎麼可以隨便議論！說得出理由就算了，說不出理由就處你死罪。」輪扁說：「我是從我做的事來看。做輪子，下手慢了就會鬆動不牢固，下手快了則緊澀而嵌不進。要不慢不快，得之於手而應之於心，有口也說不出，但是這中間是有奧妙技術的。我不能傳授給我兒子，我兒子也不能從我這裡繼承，所以我七十歲了還在做輪子。古人與他們不可傳授的心得都已消失了，那麼君上所讀的，不過是古人的糟粕罷了。」

要通透書本之中的精華，才能得魚忘筌，但是大多數的人通常都執著於書本，所以最後還是要問：你能夠領悟多少？

學習一定要理解，理解之後一定要覺悟，覺悟之後用自己的話再說出來，要能做到這樣，才算是你的心得。這與道家思想有關，外化而內不化，你內不化的話，最主要的目標是道。如果沒有覺悟到道，就算覺悟到這些書本上的東西還是不夠。道才是關鍵所在，修練精神的層面叫作精神生於道，但是道在哪裡？

《莊子‧知北遊》記載，東郭子問莊子所謂的道在哪裡，莊子回答在螻蟻中、雜草中、瓦塊中，甚至是屎尿中，完全異於一般人的想像。然而莊子是要強調道之無所不在，從動物（昆蟲）到植物，到礦物（無生物），再到廢物，言下之意就是，連最低賤卑微之物都有道在其中。

由於道無所不在，我們可以「一起遨遊於無何有之鄉，混同萬物來談論，一切都是無窮無盡的啊！讓我們一起無所作為吧！恬淡又安靜啊！漠然又清幽啊！平和又悠閒啊！我的心思空虛寂寥，出去了不知到達何處，回來了不知停在哪裡；我來來往往，不知終點何在。翱翔於遼闊無邊的境界，運用最大的智力，也不知邊界何在。」細讀這一段描述，再回想莊子遍在全書那些不著邊際的話語，不免會心一笑。

莊子既然談起了道，就隨口多說幾句話作為結論，這也提供了我們理解的契機。他說：「主宰萬物的道與萬物之間沒有分際；但物與物是有分際的，也就是所謂萬物之間的分際。無分際的道寄託於有分際的物中，就像有分際的物寄託於無分際的道中。以盈虛衰殺來說，道使物有盈虛，而自身沒有盈虛；道使物有衰殺，而自身沒有衰殺；道使物有始終，而自身沒有始終；道使物有聚散，而自身沒有聚散。」

萬物一直處於「盈虛、衰殺、始終、聚散」的過程中，亦即一直在變化生滅；但是道卻不受任何影響。這正是《老子》二十五章所說的「獨立而不改，周行而不殆。」（獨立長存而不改變，循環運行而不止息）這也點出了「無所不在」與「無所不是」的重大差異。如果「道無所不是」，則道必須隨著萬物的變化而變化，但若是說「道無所不在」，就可以肯定道除了遍在萬物之外，還擁有一種超越性，不會隨著萬物的變化而變化。「在」與「是」一字之差，決定了理解是否正確，特別值得省思。

虛己以遊世：與道為友

道無所不在，請問你還要追求什麼？你覺悟道無所不在的情況後，就不用再擔心了，也就是不要去追求任何有形可見的動機、利益，以為非得得到什麼才是成功的。覺悟到道，你的生命就可以自在逍遙。為什麼講逍遙？逍遙是結果，不是方法，方法是心齋、坐忘，是一系列我們對現實情況的理解。你擁有這樣的修練方法之後，才會出現無處不可逍遙的結果。能夠了解不得已，當然是一種覺悟的過程。

西方學者研究道家，至少有兩點值得我們參考。第一，老子思想具有革命性的價值。中國哲學傳統是以「天」作為超越界的一個名稱。古人信天，帝王被稱為「天子」就是證明。但是老子卻說天沒什麼了不起的，上有天，下有地，合稱「天地」，就變成相對的自然界了，另外用道來代替超越界。老子的革命性其實是還原，他知道天已經被天子汙染了。因為天子沒有仁義、慈愛，讓一般老百姓覺得活著沒什麼希望，所以才會有虛無主義出現。他只是還原而已。

第二，英國的科學家李約瑟說：「中國的科學思想推源於道家。」他以東郭子問道為例，莊子認為再怎麼卑下骯髒的東西裡面都有道，這代表一種科學精神。科學家在研究的時候，不會在乎味道好不好聞、樣子好不好看，無論是研究細菌、研究細胞、研究生物的結構，都是完全客觀的，不參雜任何一絲主觀的情緒，這不正是道家的精神嗎？實事求是的科學精神基本上是好的，但是科學家所研究的範圍太過狹隘。從希臘開始研究自然界，對自然界有一句簡單的形容，「有形可見，充滿變化」，希臘文叫作 physis，後世物理學 physics 一詞，就是源自於此。世界有形可見且充滿變化，連人類自身也經常在改變，但是人類又覺得這樣很不可靠，活著沒什麼信心，便想探知有沒有什麼是存在於有形可見的背後且永遠不變的。這就是西方形上學的由來。

形上學，Metaphysics，是亞里斯多德的主要思想，meta 表示在什麼之後，physics 是指物理學，也就是說形上學是研究在物理學之後的學問，那永遠不變的本體。所以，道家講的就是形上學，讓人知道宇宙萬物充滿變化，但是有其根本的來源與最終的歸宿。

人的生命那麼短暫，莊子講的外化不只有身體的變化，還包括儒家與別人合作，大家互相尊重的想法。那麼，什麼叫作內不化？難道內在真的可以不化嗎？不化可以永遠保留下去嗎？莊子認為可以，道家的祕密就在這裡。當我內不化的時候，可以與道結合，所以活著的時候就先感受到生命變化結束後的歸宿。我們最後會談到道家與一般的密契主義相關的題材。聽到「內不化」的時候，要有信心，原來我內在有一個真我。人的生命之所以特別，儒家認為可以真誠、可以不真誠；道家認為可以覺悟自己的真實，但是也可以不覺悟，不覺悟的話，就只有外面相對的真實，所以莊子不得不發明幾個與人有關的新名詞。

老子只提到「聖人」，莊子則認為還有「真人、神人、至人、天人」。每一個詞都是在「人」上面加一個字，譬如，提到真人就知道有很多假人，真人所針對的一般人，就是假人；一般人很笨拙、很執著，所以才有神人出現；至人代表最高境界，顯示很多人沒有達到這種境界；至於天人，天代表自然，可以與自然合在一起，顯示很多人是人為造作的。這四種人是「內不化」的代表，內在沒有任何改變。

相忘於大道，永不乾涸

司馬遷如果仔細讀了〈漁父〉的這一段，對莊子或許會有不同的評價。我總覺得歷史學家的看法值得商榷。像蘇東坡認為〈漁父〉、〈盜跖〉、〈說劍〉都是偽作，但是看完這一段，他還會覺得這完全是假的嗎？

《莊子・漁父》中提到，孔子對漁父非常尊重。

孔子強調真誠，真誠只適用於人身上，而真實是普遍的，宇宙萬物都可以真實，所以真誠被囊括在真實的範圍之內。

漁父說何謂真實？真實是專一而誠懇的極致狀態，不專一、不誠懇就不能感動人。也許你會感到困惑，這樣的說法不是和真誠差不多嗎？沒錯，一個人的真實就是他的真誠，但是他的真誠是他的真實嗎？真誠只對人有效，可是真實不一樣，它所涵蓋的範圍更大。

勉強哭泣的人，悲痛卻不哀傷；勉強發怒的人，嚴厲卻不威猛；勉強親切的人，微笑卻不和悅。這三點與我們平常表現的情緒有關。真正的悲痛是沒有聲音而哀傷，哀傷的力量如洪水一般蔓延過來。真正的憤怒是沒有發作而威猛，一個人真正生氣的時候不用刻意表現出來，光是站在那裡，就能展現氣勢。人有氣，也就是磁場，一個人的磁場會影響周遭的環境，假設一個人很有愛心，房間就充滿溫暖之氣，如果有一個人很生氣，氣氛就變了，這是一種微妙的轉變。生命本來就是非常神祕的，人的一念之轉，生命就會出現能量，有時候是正面、有時候是負面，有時是很積極的、有時是很消極的。

漁父說，真正的親切是沒有微笑而和悅，似乎就是在形容孔子。學生形容孔子，「望之儼然，即之也溫，聽其言也厲。」他的生命讓別人感到一股力量在運作，看起來很嚴肅，但近距離接觸之後，卻發現他溫和可親，可是聽他說話又很嚴肅，不苟言笑，這就是孔子。

莊子這裡就講到，有真實在裡面，神色才會顯露出來，所以要重視真實。這句話講得多好，道家的真實跟儒家的真誠有很多相通的地方，但是也不完全一樣。

漁父接著說，把這種觀點用在人倫關係，侍奉雙親則孝順，侍奉君主則忠貞，飲酒則歡樂，居喪則悲哀。這四點，因為你真實，後面的效應是非常直接。忠貞以功績為主，飲酒以歡樂為主，居喪以悲哀為主，事親以安適為主。

耶穌也說過一個故事，主人要出遠門了，就把錢分給幾個僕人。最笨的僕人把錢埋在地裡面。最聰明的則是拿去做生意賺了錢，主人對他獎賞有加。難道耶穌也喜歡投資理財嗎？他講的是你與生俱來的質資能力，就是上帝給你的錢財，把錢財埋在地裡面，等於你一輩子都沒有開發潛能，那不是暴殄天物嗎？如果你使用了這筆錢，做成很多大事，那麼神就很滿意了。

西方的清教徒為什麼能夠發展出資本主義社會，要回答這個問題就要看《新教倫理與資本主義精神》，作者是馬克思・韋伯，其中一個觀點與儒家相近，道家也不會反對。如果你是一個信徒，這一生要把上天給你的能力全部發揮出來，想辦法在人間追求成功。成功帶來財富，但不可沉迷於世間的享受。這其中就有緊張關係了，一方面叫你拚命賺錢，一方面叫你不要享受，而要用來改善社會。所以西歐與北美能夠現代化，他們的資本主義能夠成功，就是因為有這樣的觀念，賺了錢之後從事社會福利、改善教育制度。有資本、有人才，才能發展成現代化的社會。我們的主張現在也類似，全世界只要有中國人的地方，儲蓄率特別高，一直到這幾年，更多人轉而投資理財，才變得比較複雜。過去，只要有中國人的地方，都會掌握當地的經濟資源，為什麼？賺錢之後存起來才有資本，而後栽培子女成為人才，有資本、有人才就能朝現代化前進。所以莊子說，不在乎你做多大的事業，真正盡忠職守，注意到細節，才知道用心良苦，才是一個真正忠心的朋友。

事親在於安適，侍奉父母在於讓父母親安適，不在於方式，當然不能違法。違法的話，就會和第三點社會規範牴觸。飲酒在於歡樂，不必講究器皿。金庸在小說裡寫到八種酒用八種不同的酒杯喝，那完全違背莊子的作法，這樣喝酒太辛苦了。居喪在於哀傷，不計較什麼禮儀。禮儀是外表的作為，是世俗所設計成的，真實則稟受於自然，使自己如此而不可改變。這段話談到人的生命真實的面貌，使我們對於莊子所謂的內不化有進一步的了解。

道是究竟真實。人能夠把握相對的真實，讓自己持守有真實的內心情感，表現出來之後，就不要太在意採用什麼形式或外在的作為了，這一點在社會上也是很有用的。我們說朋友相交，貴在知心，可以暢敘平生。真誠來自於真實，我們可以把道家所謂的真實和內不化聯想在一起。

《莊子》中有一篇叫作〈盜跖〉，盜就是強盜，跖是他的名字，這段故事特別有趣，也是後世對莊子有意見的地方，因為文中對孔子的諷刺最為嚴厲，既然講到外化內不化跟孔子有關，就順便提一下吧。

孔子與柳下惠是朋友，柳下惠有個弟弟，名叫盜跖。盜跖帶著九千名部屬，橫行天下，侵犯諸侯，打家劫舍，搶人牛馬，擄人婦女，貪財忘親，不顧念父母兄弟，也不祭祀祖先。所到之處，大國嚴守城池，小國避入城堡，百姓苦不堪言。孔子對柳下惠說：「為人父親的，一定能勸誡兒子；做人哥哥的，一定能教導弟弟。如果父親不能勸誡兒子，哥哥不能教導弟弟，那麼父子兄弟的親情就沒有什麼可貴了。現在先生是當代的才士，卻不能把弟弟教好，讓他變成強盜，成為天下的禍害，我私下為先生覺得羞愧。我想代替你去勸說他。」柳下惠說：「先生談到為人父親的一定能勸誡兒子，做人哥哥的一定能教導弟弟；如果兒子不聽從父親的勸誡，弟弟不接受哥哥的教導，即使像先生這麼會說話，又能對他怎麼辦？且盜跖這個人，心思如湧泉，意念如飄風，強悍足以抗拒敵人，辯才足以掩飾過錯，順從他的心意他就高興，違逆他的心意他就發怒，隨意就用言語侮辱人。先生千萬不要去。」孔子不聽，讓顏回駕車，子貢在右側守護，前去拜訪盜跖。

跖正帶著部屬在泰山南邊休息，切人肝當作晚餐吃。跖的脾氣不好，發出來的聲音就像小老虎在嘶吼一樣，聽得讓人肝膽欲裂。孔子對他說：「像將軍這樣的人才，當強盜太可惜了，身長八尺，相貌出眾，勇猛過人，部屬信賴，我建議你當諸侯，天下各國出一點錢，幫你蓋一座城，讓你在那邊安定下來當一個諸侯，這樣天下太平，重新再互相交往。」孔子是替老百姓著想，希望他定下來，不要再到處打家劫舍，這樣大家可以和平共存。結果盜跖把孔子罵了一頓，說：「你經常騙人，我才不相信你，天下是天下人的天下，我愛去哪裡就去哪裡，你把我關在城牆裡，以為這樣我就會老老實實嗎？」

最後盜跖說：「人活在世界上，上壽一百、中壽八十、下壽六十。你想想，在這一生，除了生病之外，一個月之中開口而笑的日子也不過四、五天而已。」這是很有名的一段話，後來就有詩人寫一首詩，其中一句是「平生難逢開口笑」，就是源自於此。

盜跖最後還舉出了一些例子，說許多好人都倒楣，死於非命。比如有一個人叫尾生，他與一個女孩約會。古時候這樣的情形很少見，我們特別提一下，他跟女孩約在橋下見面，結果女孩遲到了，又恰巧洪水來了，他堅守著約定不到橋上，就這麼抱著柱子淹死了。

孔子根本講不過他，因為善沒有善報，惡沒有惡報，孔子勸盜跖不成功，反倒還被盜跖罵了一頓，說：「你趕快回去，不然我把你殺了。」

孔子只好回去，學生在山下等他，孔子上車手拉韁繩，三次都掉下去再拉起來，結果回到魯國，在街上碰到柳下惠，柳下惠一看到他，便問：「老兄你沒事吧？看你的樣子，大概是見過我弟弟了。」孔子說：「好險，我這是好好的去拔老虎的鬍鬚，還差一點被老虎吃掉。」

〈盜跖〉把孔子描寫得相當不堪，我們倒也不用太認真看待真假，畢竟這只是一則寓言，我們真正要了解的是，道家相較於儒家，提出了絕聖棄智、全身保命的思維。

主題四：從真實到美感

第一講：以身合心：從技術到藝術

一般講技術，是指人類發明某種方法，延伸並拓展自己的能力，目的是設法征服外在的某些情況，達成某些效果。從技術到藝術，就如化境一般，已經把技術融入我自身的條件中，所以，當你在做某件事情時，能夠進入化境，做起來就會非常自然。經過嚴格的訓練，按照規則來操作，技術轉化成本能，一切變得輕鬆而自在。

《水滸傳》裡有個人物張順，作者雖沒有大篇幅的介紹，但是我對他的印象特別深刻，他在滾滾波濤中如魚一般，游泳技術超人，所以有「浪裡白條」之稱。

《莊子‧逍遙遊》說，有一個宋國人特別準備了一些禮服、禮冠到越國去賣，卻發現根本賣不出去，因為越國人的習俗是斷髮文身。理著短髮，身上紋身，禮服、禮冠對他們而言根本毫無用處。

專注熟練而巧奪天工

莊子筆下許多奇人異事。《莊子‧達生》記載，有一次，孔子帶著弟子在呂梁觀賞，瀑布高懸三千丈，水花飛濺四十里，魚鱉鼉鼉（和鱉一樣的甲殼類水生物）根本無法游動（就算是尼加拉瀑布也不可能沖四十里，怎麼可能有這麼大的威力，但是莊子寫文章就是語不驚人死不休），卻突然看到有個人跳進水裡，孔子心想他一定是要自殺。從這個反應我們可以知道，當時真有很多人自殺。

孔子馬上派學生沿途尋找，後來發現那個人在數百步遠的地方又從水裡冒了出來，還在哼唱著歌，待他游到岸邊，孔子上前詢問他怎麼有辦法游得這麼好，那個人說：「很簡單，我也不知道為什麼。我生在山裡頭，生在哪裡就接受哪裡的情況，後來喜歡游泳，於是就順著這個興趣，在水裡面慢慢熟悉、慢慢成長，我也不知道為什麼如此，這就叫作命吧。」

麥可‧喬丹的籃球打得很好，一般人只看到他的成果，沒看到他訓練的過程。我們忍不住想問，在他的訓練過程中，從哪一天開始他打得好，在哪一天之前他還不算好，在不知不覺中就變好了？老虎伍茲也不是一生下來就會打高爾夫球，他從八歲開始學，到二十一歲打到全美冠軍，但是請問他在哪一天之後成為真正的高手？在哪一天之前還不算高手？或者他是慢慢形成的，沒有人講得清楚。

美國心理學家威廉‧詹姆斯（William James, 1842-1910）提出一個有趣的理論，他說我們在冬天學習游泳，在夏天學習溜冰。大家或許會覺得奇怪，情況應該倒過來才對，但他真的就是這麼說的。他說假設現在是夏天，你第一次下水游泳，隔了一年又到夏天，你再次游泳時，忽然發現技巧比以前好很多，這代表你在冬天的時候曾經練習游泳。你說我冬天沒下水，但其實你根本不用真正下水，你的潛意識就已經在替你游了，這是手腳協調的問題。反之，冬天學溜冰，春天到了雪融化，沒有場地可以溜了，你只好回家休息慢慢過日子，一年之後你再次穿上溜冰鞋，卻發覺自己忽然就會了，為什麼？因為夏天的時候你在練習。你說我沒練習，但其實你不用真的練習，你睡覺的時候、做夢的時候，都是在練習。

這是現代心理學家的解釋，學習之後，手腳的搭配在不知不覺中就慢慢變靈巧了，很多人都經歷過學腳踏車的階段，剛開始都摔得很慘，不出多久，某一天居然就會騎了，請問從不會到會是哪一天？是哪一個界限？沒有人說得出來。我講這些，是要說明《莊子》一書中描寫這些技巧高超的人，其實都先進行過嚴格的訓練，依照規則操作手腳，到最後規則內化為本能，像是本來就會的。

我們學會騎腳踏車之後，每天騎去上學，到最後甚至可以放開雙手，有些電影不也是這樣演嗎？主角把雙手張開來騎車，相當瀟灑，要轉彎時還可以只利用身體的擺動控制方向。因為你已經很熟悉了，身體與腳踏車合為一體，像這樣從技術到藝術，是生活中可以體會到的。

小時候國語課文有賣油老翁的故事，大家不是想買他的油，是想看他表演。老翁高舉油壺一倒，油就像一根曲線直接灌入罐子的小口，一滴不漏，若是一般人來倒，可能會把大半的油都灑在外面。然而老翁也不是生下來就會的，他賣油賣了幾十年，知道如何拿捏力道、角度。看起來像藝術的表演。藝術比技術高一層，技術是我在表演，到了藝術的境界，我就是表演。

這就是孔子談學習時所說的「知之者，不如好之者。好知者，不如樂知者。」（《論語・雍也》）學得一個道理，不如喜歡這個道理，喜歡這個道理，不如去實踐而樂在其中，而後就能跟這個道理合而為一了。

不過，莊子對於讀書興趣不大，他自己讀完書就叫別人不必念了，他喜歡談論生活化的藝術。《莊子・達生》記載，顏淵經過一條河流，看到一個人在操舟，類似在峽谷之中划獨木舟，「操舟若神」，非常靈巧，令人讚嘆。顏淵便請教孔子，為什麼善於游泳和善於潛水的人，可以很快的學好駕船的技術，孔子說：「會游泳的人很快就學會，因為他忘記了水的存在；會潛水的人，即使沒有見過船也能立刻就划，因為他把深淵看成丘陵，把翻船看成倒車。翻船倒車的各種狀況發生在眼前，他也不會放在心上；那麼他到任何地方不都輕鬆自在嗎？用瓦片作賭注的人，技巧相當靈活；用帶鉤作賭注的人，就會心存恐懼；用黃金作賭注的人，就頭昏腦脹了。賭博的技巧是一樣的，但是有所顧忌，那是因為看重外物啊。凡是以外物為重的，內心就會笨拙。」

〈達生〉還有一段是敘述承蜩丈人的故事，即「主題二」所講的黏蟬老人，因為他到老的時候才把這門技術變成藝術，這就是長期的修練。

如果你眼中只有一樣東西，這東西就會變得無限大。《世說新語》中，常常描寫很多男子長得很帥，美男子出現的時候，作者最喜歡用一句話來描寫，「千人亦見，萬人亦見」，就是一千人中只看到那一個，一萬人裡面只看到那一個，美男子出門的時候，所有的女生全部擠上去，要拉他的手、要抓他的衣服。

《莊子・知北遊》有一則類似的寓言，大司馬家裡面有一個八十歲的老人家是製作帶鉤的，帶鉤是男子身上的裝飾品，很貴重，上面有很多圖案，製作起來也有精巧與粗糙的分別，他做的帶鉤纖毫不差。每一個人看到都問他怎麼有這樣的本事？他說他從二十歲開始做帶鉤，到今年八十歲，六十年之內「於物無視也，非鉤無察也」，對萬物都不去看，不是帶鉤就不仔細研究，他這六十年除了吃飯睡覺，每天想的就是帶鉤，到任何地方看到帶鉤就仔細研究，為什麼別人這裡這樣做、這裡那樣做，他到最後當然是集大成，變成天下第一了。

莊子提醒我們，天下沒有僥倖的事情，我們學莊子最怕什麼「羽化而登仙」，忽然之間就覺悟了，天下沒有這麼簡單的事，沒有下功夫就不可能有這樣的化境，就不可能品味到真正的美感。所以在莊子筆下的平凡人，都有其不平凡之處。

依乎天理，因其固然

然而講莊子怎麼可以不講到《莊子・養生主》中「庖丁解牛」的故事呢！庖丁就是廚師，他殺牛的時候，很多人在旁欣賞。庖丁為文惠君支解牛隻，他手所接觸的，肩所依靠的，腳所踩踏的，膝所抵住的，無不嘩嘩作響；刀插進去，則霍霍有聲，無不切中音律；既配合《桑林》舞曲，又吻合《經首》樂章。文惠君說：「啊！好極了！技術怎能達到這樣的地步呢？」

文惠君發現原來殺牛也可以像場歌舞表演，真令人驚訝，就問庖丁怎麼會有這種本事？庖丁說：「我剛開始解牛的時候很辛苦，想著那麼大的牛怎麼殺？一個月就換一把刀，可是現在這把刀我已經十九年沒換過了，跟剛磨出來的一樣新，換句話說，我現在殺牛根本不會碰到牛的骨頭，因為我已經解了十九年，彷彿能看透牛的身體架構。」

牛雖然有大有小，但是骨骼結構是一樣的，任何動物都有它的結構。我的刀這麼薄，沒有什麼厚度，而骨骼跟骨骼之間那個寬度實在太大了，所以我宰牛的時候就順著牠的構造，按照牛的自然情況去解牛，完全依乎天理，因其固然。天理就是自然的條理，每一頭牛生下來都有自然的條理，固然就是本來的樣子。所以我把牛分解完畢，牛還不知道自己被分解了，因為牛不覺得痛苦。聽到這句話我們一定會認為怎麼可能？你又不是牛，你怎麼知道牛不會覺得痛？但是這樣做至少可以把牛的痛苦減到最低，因為刀插進去的時候，專門找骨骼之間的縫隙，所謂「遊刃有餘」，就來自於這裡。

這跟孟子說的「綽綽有餘」有異曲同工之妙。要做到綽綽有餘，就是進退很有風度，不會顯得倉皇失措。莊子就說遊刃有餘，把牛分解完畢之後，「提刀而立，為之四顧，為之躊躇滿志」，這代表一個平凡人也可以讓自己過得很自在、很愉快，最後善刀而藏之，把刀擦乾淨收起來。

《莊子》一書中，形容一個人最得意的時候就是「提刀而立，為之四顧，為之躊躇滿志。」這句話他只用來形容兩個人，一個是庖丁，另一個是楚國宰相，這位宰相上臺下臺都很自在、很得意。

文惠君聽完很高興地說：「我聽到庖丁介紹解牛的方法，懂得養生的道理了。」要養護自己的生命，就是依乎天理，因其固然，按照自然的條理，順著本來的樣子。愈是增加、愈是設計各種養生的方法，吃各種養生的食物，可能愈吃愈糟糕。現代人精心調製的料理其實未必很營養，也未必很自然，你若想要養生，看完了這個故事應該可以得到一些啟發。

這裡要特別說明「天理」一詞。莊子筆下，天理的意義是，天代表自然，理代表條理，宇宙萬物都有自然的條理。但是宋朝學者提出一種主張，「存天理，去人欲」，他們把天理當作人的天地之性，是本善的，而人欲是不好的，必須去除。其實這是一種偏見。身為人就會有人欲，沒有人欲怎麼活呢？重要的是有沒有偏私的心。一旦有了私心，欲望就會作祟。沒有私心的話，你希望照顧百姓，那不是很好嗎？所以宋明學者講存天理的時候，是把莊子的天理講成他們的意思：天理是指天地之性，叫作義理，意指該當去做的事。

莊子是宋國人，他多次談到宋元君的故事。《莊子・田子方》說，宋元君打算為自己畫一幅肖像，所有畫師都來了，行禮作揖之後站在一旁，調理筆墨，半數的人站到門外去了。有一位畫師稍晚才到，悠閒地走進來，行禮作揖之後也不站立恭候，就直接到畫室去了。宋元君派人去察看，他已經解開衣襟，袒露上身，盤腿端坐著。宋元君說：「行了，這才是真正的畫師。」真正的畫師心中沒有什麼世間的煩惱，也不會想著要去討好誰，只是單純的要把對方的形象描繪出來。

這個故事對後世的影響很大，《世說新語》講到，太傅郗鑒聽說丞相王導的幾個兒子都才貌俱佳，有意結為姻親，便派一名門客去王家看看。王家子弟一聽到這個消息，個個都裝扮整齊，打扮體面。門客卻注意到東廂房裡有個男子正袒胸露背睡午覺，好像不在乎這件事，便回去報告。郗鑒一聽，馬上就決定女婿的人選，而這個人正是有名的書法家王羲之，這也是「東床快婿」的由來，至於郗鑒會做出這樣的決定，就是因為記得莊子的這個故事。這種故事前後連貫起來還滿有趣的，讀了《莊子》，偶爾也要表現瀟灑的一面。

《莊子・達生》的「鬼斧神工」講的是梓慶。梓慶削木頭，製成野獸形狀的架子，可以用來掛鐘鼓。鐘架做成後，所有人看了都驚訝不已，好像那是鬼神所為。魯侯接見梓慶，問他說：「你是靠什麼祕訣做成的？」梓慶說：「我是一個工人，哪有什麼祕訣？雖然如此，還是有一點可說。我在準備做鐘架之前，向來不敢損耗氣力，總是齋戒來平靜內心。齋戒三天，不敢存想獎賞爵祿；齋戒五天，不敢存想毀譽巧拙；齋戒七天，往往忘了自己還有身體四肢。這個時候，不再想到是為朝廷做事，只專注於技巧，而讓外來的顧慮消失，然後深入山林，視察樹木的自然本性；遇到形態軀幹適當的，好像看到現成的鐘架，這才動手加工；沒有這樣的機會，就什麼都不做。這是以自然去配合自然，做出的器物被人以為是鬼神所為，大概就是這個緣故吧！」

在別人眼中只是一塊再平凡不過的木頭，可是經過他的巧手加工，木頭就變成一匹馬，這就是最高級的工匠，每一個人看到都說恰到好處。我以前也看過類似的技巧，只是我們外行人只能看看熱鬧。有一次我看到有人雕了一尊彌勒佛，肚臍處正好是一點，是那棵樹幹的年輪。雕刻者按照年輪的圓圈刻，刻到最後正好肚子凸出來一點，就是年輪的中心點，看起來真是巧妙，好像本來就應該做成彌勒佛的肚子似的。梓慶可以配合這些，取之於自然，再讓它回歸於自然，而且讓彼此可以相通，樹木裡面好像藏著其他生物的生命，這就是巧奪天工。

《莊子》書中的這些人，起初只是一般的工人，但最後總會有幾個人出線，如果沒有長期的努力，怎麼可能有傑出的靈感或表現？西方對天才的解釋也值得參考，他們說，天才只是長期的耐苦而已。有一個關於發明天才愛迪生的小故事，他有一次一面思索發明之事，一面煮蛋，可是他煮了半天還是沒有蛋可以吃，因為他煮的不是蛋，而是手錶。當你專注於一樣東西久了，你的心思、你的手腳為了達成特定的目的，就會互相配合。

為什麼我們認為道家會引發一種美感，「美」這個字在西方有一個簡單的理解。康德說，美是無目的的目的性，什麼意思？就是主觀上不帶有任何目的，但是客觀上正好符合你的目的。

譬如，一幅有一顆蘋果在桌上的畫，你看了畫後想吃水果，這代表它毫無美感，只引發了你的食欲，食欲與美感無關。或者你看了就想分辨這是加州的蘋果還是梨山的蘋果，這代表你想求得這樣的知識，想了解這個蘋果，這也談不上美感。怎麼樣才有美感呢？你看的時候，發現這個蘋果本身的造型，構圖與顏色的對照及陰影，配合得天衣無縫，恰到好處。本來不存目的，只是在看而已，看的時候沒有想要吃、想要得到、想要了解，但是它又剛好合於目的，你會覺得這幅畫掛出來，一切都恰到好處，這就產生了美感。

真正的美不帶有任何目的，一旦有了目的，就會變成功利實用。不帶有目的，又合於目的，則代表恰到好處。譬如，風景並非人工設計的，但你看的時候就會覺得山美，山不是為了讓你看才存在的，但是你看山的時候並沒有想看到什麼山，了解這個山有什麼礦藏，這個山上有什麼絕世高手，純粹而沒有目的，但是一看就覺得自自然然，本來如此。

我們的美感常常就這樣出現了。有一個蕭伯納的故事，蕭伯納有一次去聽小提琴家海飛茲的演奏，聽完之後覺得實在是太精采了，此曲只應天上有，人間難得幾回聞，忍不住寫了一封信給海飛茲。蕭伯納是一位幽默大師，他說：「海飛茲先生閣下，今天我與內人去聽你演奏音樂，奉勸你一句話，你不要演奏得那麼完美，希望你每天睡覺以前，隨便拉幾首很難聽的曲子，讓上帝放過你。因為你演奏得太完美，在人間不能存在。」人間是變化的世界，沒有完美可言。

自古美人如名將，不許人間見白頭。你見過白頭美女嗎？白頭怎麼會有美女？頭髮白了就不是美女了。你見過年老的大將軍嗎？廉頗老矣，尚能飯否？老了就不能當大將軍了。現在不同了，當將軍不用打仗也不用騎馬。以前的將軍如李廣，要親自騎馬在前面衝鋒陷陣，又如衛青、霍去病等人，不過四十歲出頭就要退休了。真正厲害的人是幾歲？《世說新語》裡面談到桓石虔才十七歲，兩軍作戰的時候，他往哪一條線衝，那一整條的隊伍就會潰散，無法抵擋。有一次桓溫對他說他的叔叔陷在敵陣中情況危急，他躍馬揚鞭衝入幾萬敵軍之中，無人可抵擋得了，就這樣把叔叔救回來了。金庸小說裡面像蕭峰這樣的人，管你千軍萬馬，一個人過去就把主帥抓回來。《世說新語》記的是真正的事情，這樣的人真實存在，所以每個人都有他的特長，在這一方面表現好，別人只有欣賞、只能讚嘆，說他怎麼這麼傑出？

很多人都欣賞過「變臉」的表演，我們也很好奇如何半秒內變臉，這當然需要長期的訓練，不到一定的年紀還無法表演。不然表演時你沒變臉，觀眾變臉了，因為看到破綻了，所以《莊子》裡面倡言「以身合心」，用我的手腳技巧來配合我的心，我的心先設定一個明顯的目標，我要游泳、我要划船、我要雕刻，這都是很明顯的，只要你以身合心的話，專注在一個目標上，最後就可以產生驚人的效果。

忘適之適：一切安好

介紹莊子時，我們一再提到「忘」這個字。忘是指不要把心思放在某一點上，要無心而為。「為」還是要的，每個人在社會上扮演應該扮演的角色，你現在做什麼，就要像什麼。但是「為」的方法有兩種，一種是有心而為，一種是無心而為。有心而為還沒開始做壓力就很大，更何況是做的過程；無心而為的話，做的時候是做你該做的，不要有別的念頭，因為把你該做的事情做好，已經需要專注的精神了。所以，人需要修練。

魏國的公子魏牟是個不簡單的人物，《莊子》中不只一次談到他。〈讓王〉中是這麼說的，中山公子牟對瞻子說：「身體處在江海之上，內心想著王室的榮華，該怎麼辦呢？」瞻子說：「看重生命。看重生命就會輕視利祿。」中山公子牟說：「雖然知道這一點，但還不能克制自己。」瞻子說：「不能克制自己就順應，心神不會有厭惡啊！不能克制自己又勉強不肯順應，則為雙重傷害。受到雙重傷害的人，沒有能活得下去的。」魏牟是萬乘大國的公子，他隱居在山林岩洞裡，要比平民困難得多，雖然還沒有悟道，也可以說是有志向了。

人生在世就是一個選擇題。有時候我們看到宗教界的醜聞，特別令人難過，沒有能力放下，就不要放下。如果身為公子，放不下爵位，那就好好當個公子，等將來老的時候，說不定就能放下了，因為體驗過了榮華富貴，才知道榮華富貴沒有意思。釋迦牟尼如果沒有在皇宮裡面住到二十九歲，他有可能創建出這麼偉大的佛教嗎？他十六歲娶妻，第二年歲生子。二十九歲時第一次出城巡遊，看到老人、病人、死人和修行者，深感人受生老病死所苦，卻不得離苦之道，當下便決定出家修行。他依照其他人苦修的方法修行了六年，還是沒有覺悟，直到收拾身心，喝了羊奶，讓身體和精神慢慢恢復後，才在菩提樹下得到了覺悟。

到廟裡去看，你會發現釋迦牟尼的雕像都是胖胖圓圓的，但是印度有多少人是胖子？太少了。事實上釋迦牟尼佛瘦到他的舌貼緊上顎，當他撫摸自己的肚子時，居然摸到脊椎。到這種情況，完全消解自己的本能，最後才在菩提樹下頓悟，這樣的修行才能覺悟。

現在有些人批評出家人，說他們拿最新的手機、坐賓士六百，穿著上等的袈裟，這樣也能修行嗎？不要從外表判斷，也許他可以。

談到與修行有關的故事，莊子說明以身合心的過程，一做就是六十年，六十年只做一件事。有人說莊子的學說就是覺悟逍遙自在，要談莊子的心得，但是有沒有任何修行？你知道什麼是六十年只做一件事嗎？這不是簡單的事情，但是這樣才能達到藝術的化境。

第二講：以心合道：靜與遊

以心合道可以用兩個字來說，一個是靜，一個是遊。

老子提到「致虛極，守靜篤」，追求虛要達到極點，守住靜要完全確實。靜對我們來說是不容易的，因為人從起床之後就開始工作，即使睡覺的時候心思也很紛擾。「靜」和生物的本能「動」是對照的，動物不可能完全靜下來，靜下來的時候也依舊保持警惕，看起來好像在休息，還是處於生存本能的狀態。只有人可以完全靜下來。

近代德國哲學家尤瑟夫・皮柏（Josef Pieper, 1904-1997），他在一九四七年出版《閒暇：文化的基礎》（*Leisure, the Basis of Culture*），談到西方傳統在希臘文裡所謂的「學校」，英文稱 School，拉丁文是 Schola。在希臘文裡面，學校就是休閒的意思，代表你不用工作、不用勞苦。這種想法不難理解，我們的傳統觀念裡，用四個字「藏、修、息、遊」代表，也是休閒。藏在裡面，學一點東西，休息，遊玩，所以一旦離開學校就要工作。

心如止水，水靜則明如鏡

什麼叫休閒？休閒有何作用？為何人需要休閒？因為人的活動都是為了產生某種效果，把自己當作某種工具。我從學校畢業，我是學什麼專業的，這個專業就變成我的工作，我的工作帶來我的工資，與別人來往我都是以什麼樣的工作者角色在與別人互動，這就是勞苦。為什麼放假很特別？皮柏分析休閒有三個目標，第一，靜；第二，慶，配合慶典；第三，全，完整，整全不再分裂。

常常有人問我，道家與佛教怎麼對照？道家與西方怎麼對照？其實我們要了解的都是人，然而人有不同的生活環境、不同的文化傳統，因此會有不同的體驗，但最終的目的都是希望獲得真正的快樂。

第一，何謂靜？沒有聲音就是安靜，但是即使外面沒有聲音，不代表你內心平靜。一般講平靜最容易觀察的就是水，莊子也說「水靜猶明」，水平靜下來就很明亮。以前的窮人家沒有銅鏡，想照鏡子要去水邊，如果水是流動的會看不清楚，但平靜的水面可以把自己映照得很清楚。

外面的安靜，裡面的平靜，還有寧靜。耳朵聽不到聲音叫安靜，內心沒有任何波瀾叫平靜。有時候外面很亂、很吵，但內心很平靜，一如現在常說的心靜自然涼。至於所謂寧靜的「寧」有什麼作用呢？指的是看起來很靜，其實充滿動力，準備重新再出發的一種力量。西方人常說「休息是為了走更遠的路」，這麼說，休息也很累，因為在準備走更遠的路，那不是很累嗎？其實休閒本來就是生命的重要內容，走更遠的路是為了休息，這還差不多。你為什麼工作？工作是為了休假。你為什麼休假？休假是為了工作。到底是哪一個為哪一個？

安靜、平靜到寧靜，寧靜是「淡泊以明志，寧靜以致遠」，寧靜代表動力重新展現。人最怕能量不足，能量不足就需要能源，要往哪裡找能源？我們以前常聽某某明星歌星去美國充電，為什麼美國可以充電？因為他到美國一個戲劇學校，旁聽幾門課，讓內心充實，但其實道就是無限的能源，所以人要充電，根本無須到特定的什麼地方，只要回歸內心深處，化解外在的事物，體會什麼是道即可。

釋迦牟尼覺悟之後開始傳佛教，印度每年有三個月是雨季，所以釋迦牟尼在雨季的時候就退下來，與我們放暑假一樣，他這三個月就是在充電，沉思、冥想。你能夠靜下來沉思、冥想，內在就發出電了，眾生皆有佛性，你就可以掌握到更深刻的智慧，每天有三次吃飯的時間，離開人群充電，讓自己休息。

休息絕不是打坐練氣，以便講課更有力量，而是回到真正的根源。所謂的修行，就是在很短的時間內讓自己靜下來，讓生命回歸圓滿，當再次出發時，不只是發散而已，而是無心而為。

從安靜、平靜到寧靜，是修行的方法，放假休閒的目的就在於此，有人放假休閒的時候比平常更為忙碌，所以到了星期一要上班、上課時會感到憂鬱，因為放假時太累了，沒有掌握到靜這個字。

第二，慶。活在世界上快樂嗎？快樂本身就跟慶典結合在一起，如中秋節、端午節或是春節。慶典有兩種，一種是自然的，像前面提到的春節，配合自然界的變化。一種是人文的，如國慶或是社區的慶典，以及一般人的結婚典禮、週年慶等，都是慶典。

由於活著太辛苦，生活太單調，一遇到能夠慶祝的日子，彷彿它變成了核心，其他的時候是繞著它而轉的。每年就等著中秋節團圓，或是春節如何如何，好像別的時間都在等待，等待一起感受生命的喜悅。活著很痛苦，如果沒有發明慶典，活著只不過是不斷重複而乏味，過去的生活有什麼意思？所以每一個文化都會有自己的慶典，不管它是怎麼來的，都要和休閒配合，在慶典的時候，完全排除日常工作的角色、地位、階級、財富。

西班牙每年都會舉辦奔牛節，滿街的人和牛一起奔跑，每一次都有人受傷，不過受傷的人似乎覺得這樣很光榮。當這些人在追著牛跑的時候，誰在乎誰有多少財富、誰是什麼身分？牛也不在乎。一旦到了慶典，每一個人都是大自然的兒女，回到最原始的情況，社會所加諸於你的外衣、夾克統統去掉，不論男女老少。

西方有嘉年華會，臺灣原住民有豐年祭，這些都是慶典，使你回到生命原始的情況。人生的壓力，有一半以上來自於社會性的包裝，見到老師我要禮貌問候，面對老闆我要態度謙和，也因為這樣，無法擁有真正的快樂，其實我們充其量都只是人世間的過客罷了。

真正的歡樂來自慶典，讓人在休閒的時候歡欣鼓舞。慶典保存最好的是宗教，但是信仰宗教必須有特別的機緣，不能為了慶典而信仰宗教。機緣成熟了，你自然願意相信，機緣不成熟，別人講得再好也沒用。有時候一時衝動就信了，信了之後又反悔，這種事情常常發生。

我因為教書而認識許多朋友，他們有困擾時會找我商量，不過我不敢隨便替人出主意。因為我學過一點哲學，只能說你去讀書吧，要是再不行，我會說去看看信什麼宗教比較好。宗教有訓練有素的專業僧侶，為信徒提供服務。有一個朋友困擾很多，我每次與他講到最後都只能勸他找一個信仰，結果他說他已經信了五個。這麼做就不對了，一個宗教就已經要你全心全意全力去實踐它的教義，信了五個怎麼可能專心呢？這就是沒有了解宗教的特色。宗教的英文是 religion，字源是拉丁文，代表「捆綁」。

人活在世上有一個特色，叫作分散，愈活愈分散，每天注意的事太多，集中不了就分散。一天的時間分散在各種事情上，生命就瓦解了。宗教要你把自己捆綁起來，一到星期天則收斂，然後再分散出去；如此進行修練，即是宗教的作用。

也許別的宗教有不一樣的說法，這都無所謂，至少它讓你擺脫日常生活的考慮，因為現實的考慮與宗教背道而馳。宗教的焦點一定放在死亡上面，如果領悟了死亡的奧祕，活在世界上的得失成敗根本不重要。往往在世界上愈失敗的人，精神領域愈豐富，因為在人間沒有依靠，更可能去開發心靈。人間太多樂趣的話，就不容易專注，會在這些樂趣中浮浮沉沉，最後不知不覺之中，生命就慢慢消耗掉了。每一種宗教都有豐富的慶典，有時會配合儀式，並帶有神話色彩，讓人在參加的時候，覺悟生命不是只有這個世界，還有神的世界，與某些神話故事對照，生命好似變成立體的，更顯豐富而多層次。

第三，全。這一點比較容易了解，人的生命分散了，工作的時候只表現了工具價值，只扮演某種工作的能力。「全」肯定我是一個完整的人。為什麼很多人在年輕的時候會喜歡馬克思主義？因為馬克思有崇高的理想，他描寫人的生活，讓人羨慕。他說最理想的情況是，一個人早上想當獵人就可以打獵，下午想當詩人就可以寫詩，晚上想當音樂家就可以演奏音樂，然而這只是美好的幻想。人本來就是一個完整的生命，馬克思是猶太人，天生注定要看透人間許多問題，並提供一個烏托邦讓人們心生嚮往。只是如果沒有講清楚內容，恐怕會碰上不少困難。

他年輕的時候顯示了標準的人文主義，希望人的生命不要分裂，不要只成為工具。希望生命再恢復完整，能夠賽跑、能夠運動、能夠寫詩、能夠沉思冥想，又能夠創作發明。誰不希望能夠這樣全面的發展？但誰不是被限制在某一個行業裡面，動彈不得？所以你休閒時就要讓自己恢復完整，這叫作靜、慶、全。

莊子說：「水靜猶明，而況精神？」（《莊子・天道》）水靜下來尚且很明亮，能照見任何東西，何況是精神？然而精神不是本來就在那兒，而是等待被開發的潛能，和心智結合在一起，以自覺能力為基礎。我們的心智平常只對外分辨，對內肯定自我，甚至展現為心機。如果把對外產生的欲望、對內產生的自我執著，以及與別人的勾心鬥角全都去掉的話，心智就可抵達與別人合成一體的狀態，成為靈臺、靈府，變成精神。

心變成精神，就好像鏡子，鏡子「不將不迎」，不送別人走，也不迎接別人來。一面鏡子不會只照俊男美女，醜的都不照，那就不叫鏡子了。鏡子很客觀，沒有任何立場、沒有任何成見、沒有要與不要，它不送別人走，也不迎接別人。它只是反映，而不留存任何一樣東西。現代人講究能量，我從這裡離開，用高科技的儀器照見我的能量還在此。有些人會看見鬼魂，其實是看見某種能量，因為人處在一個地方，但磁場會改變，當你離開後，別的能量又進來了。蚊子、蒼蠅飛來飛去，牠們也有磁場，不過比不上人類。所以莊子說：「至人之用心若鏡，不將不迎，應而不藏，故能勝物而不傷。」（《莊子・應帝王》）至人就是最高境界的人，至人的用心就像鏡子一樣，對外物的來去，既不迎也不送，只反映而不留存，所以能夠承受萬物變化而沒有任何損傷。

莊子描寫至人的時候用了很多難以理解的比喻，「大浸稽天而不溺，大旱金石流、土山焦而不熱。」（《莊子・逍遙遊》）洪水滔天不會使他溺斃，嚴重的旱災溶化了金石、燒焦了土山，也不會使他燠熱，有這種事嗎？我學莊子常常會想到一句話，「疾雷破山風振海而不驚」（《莊子・齊物論》），迅雷劈裂高山，狂風掀動大海，不能使他驚恐。這幾個字的景象真是壯觀，不得不說，中文的潛能在莊子筆下發揮到最高的境界。蘇洵說：「泰山崩於前而色不變，麋鹿興於左而目不瞬。」這即是類似《莊子》描寫至人、神人的筆法，但是他真的能做到嗎？其實莊子講的不是人的身體，而是人的精神狀態。

繼希臘三大哲學家蘇格拉底、柏拉圖、亞里斯多德之後，發展出兩個學派，一個是伊比鳩魯學派，另外一個是斯多亞學派。後者很強調某種修行，盡量忽略外在的事物。和莊子相似，從重外輕內，到達重內輕外。他們說，即使我被綁在木頭架上拷打，也覺得快樂。他們靠的是：在心裡想他打的不是我的身體。一個人一旦被打得皮開肉綻，要好久才能恢復，但他用轉移注意力的方法，讓身體的痛苦不進入心裡面而覺得害怕，人所害怕的往往不是真的受苦，而是想像中的受苦。有一部電影很生動，描寫一個人背上被劃一刀，旁邊放著水桶，其實是水龍頭的水滴入水桶，聲音持續不斷。那個人看不到後面發生什麼事，只能聽見聲音，加上他又被刀柄劃了一下，就真的死掉了，是嚇死了。

對莊子而言，他描寫的真人、神人、至人，更加高明。西方哲學也說可以透過想像，讓自己身體所受的苦樂，不影響內心的意識狀態，所以心的能量絕對超過身體的範圍。現代醫學有身心醫學，把身與心結合。同樣是罹患癌症的病人，樂觀者就能比悲觀者活得久。悲觀的人放棄了求生意志，病情因而加重；樂觀的人，他的心產生能量，使他身體更容易承受病痛的折磨。當然，我們不能只對癌症病友加強心理建設，讓他每天唱積極正面的歌，好像人生充滿太陽和希望。只從外面打氣是不夠的，他自己不能覺悟，其他人再怎麼鼓勵也都沒用；他自己能夠覺悟，他的心就有一個轉變的可能，展現出某種精神，使他的生命力源源不絕。

精神生於道：在整體中，一無所礙

首先，莊子說：「至人用心若鏡。」接著他又說：「精神生於道。」（《莊子・知北遊》）精神不會自己出現，如果沒有道的話，精神根本不可能出現。人的生命有生有死，活在戰國時代的亂世，生命根本不值得留戀，「輕用民死，死者以國量乎澤若蕉，民其無如矣。」（《莊子・人間世》）輕易就讓百姓送死，為國事而死的人滿山遍野有如亂麻，人民都走投無路了。這些人能有什麼精神？如果我們也有相同的遭遇，那我們的精神呢？所以，「精神生於道」是指，如果沒有道，人活在世界上和其他動物沒有差別。

動物和人都可以認知，即為直接意識，直接意識到周圍的情況有利或有害，進而採取本能的反應讓自己活得安全。但是人還具有反省意識，可以認知、思考，把前因後果構成一種思維的邏輯，知道怎麼做是合理的，可以達到合理的效果。人和動物本來就不一樣，《莊子‧德充符》說：「以其知得其心，以其心得其常心。」三個概念，從知到心，從心到常心。我能夠認知，但是要回到心，心是認知的主宰；我能夠有這個心，就要知道常心。常心就是人人都有的心、普遍的心，我因為認知而了解我有認知的主體，叫作心；我因為知道我的心，也知道別人有心，別人的心和我的心一樣，能夠相通，達到精神的層次，亦即靈性可以相通。一旦抵達常心的層次，就不再是我的心，而是普遍的心，能同道結合。道是整體，從整體來看的時候，所有的萬物就是一。

精神從道展現出來的話，會有什麼效果？我們講精神生於道，「若一志，無聽之以耳而聽之以心；無聽之以心而聽之以氣。耳止於聽，心止於符。氣也者，虛而待物者也。唯道集虛。虛者，心齋也。」（《莊子‧人間世》）人要心志專一，不要用耳去聽，要用心去聽；不要用心去聽，要用氣去聽。耳只能聽見聲音，心只能了解現象。至於氣，則是空虛而準備回應萬物的。只有在空虛狀態中，道才會展現出來。空虛狀態，就是心的齋戒。道只有在心中完全空虛的情況下，才會展現出來。

將「唯道集虛」、「精神生於道」這兩句話合併來看，道只有在心裡空虛的時候才會展現，而精神生於道，其中關鍵在於修練，由心齋、坐忘，化解自我的執著。能夠做到這一步，心就自然展現出精神。精神來自於道，道本來就存在，但是不一定被人領悟。當你能夠理解、能夠覺悟道的時候，代表你修行到一定的程度，心裡面完全空虛了。空虛的時候就變成一個平臺，稱為靈臺，變成一個倉庫，稱為靈府，這時候就出現精神了。莊子無法舉例說明，因為它確實是修行的一種境界，只可意會，難以言傳。道這麼好，但是父親不能給兒子，大臣不能給國君，如果能給的話，誰不希望分給親近的家人朋友，讓每一個人都能悟道。

莊子對精神的描述，在〈刻意〉有「精神四達並流，無所不極，上際於天，下蟠於地，化育萬物，不可為象，其名為同帝。」精神四通八達，無所不至，上接於天，下及於地，化育萬物，不見跡象；它的功用與上帝一樣。

《莊子》談到「帝」，為什麼我們把它解釋為上帝？因為光講帝不太夠。夏朝、商朝時人們相信上帝，本來只叫「帝」，後來人間的天子死了之後，他的後代為了推崇自己的祖先，也稱他們為帝。如果人間的王也稱帝的話，本來的帝就只好變上帝了。聽到上帝，就知道有下帝，沒有下面的帝，怎麼會有上面的帝呢？天子活著的時候不能稱帝，三皇五帝是我們後來的說法，不能隨便稱帝，因為帝最高，天子死了之後稱帝，那原來的帝就變成上帝了，所以我們解釋時說上帝，並不是來自西方的影響。

西方人說上帝是 God，其實他們也知道這樣的說法不是很恰當，因為正確的說法應該是 God on high（至高的上帝），然而真正的上帝是沒有名字的，後來為了說明方便，就給他取一個名字叫作 Godhead，一般的 God 就好像泛泛說的。這樣的理解和道家的思維很接近，老子說：「道可道，非常道。」代表道有兩種，一種是可以用言語說的道，另外一種是永恆的道，不能用言語說的。其實人的思想運作模式很類似，你所掌握的帝，應該是超越人的言語之外的帝，因為人的言語所能表達的是相對的，相對於我們的經驗才能成為概念，但上帝絕不在我們的經驗範圍之內，所以真正的上帝是不可說的。

萬物無一不可欣賞

人的精神作用與上帝一樣，莊子說純粹樸素的道，只有精神可以保守住它，保守住而不喪失，精神就能專一，專一就能與真實相通，合乎自然的規則。為什麼這裡會提到自然？真正的哲學必須是二加一的架構，二是指自然界和人類。人類的身體充滿變化，譬如，餓了想吃，累了想睡，和其他動物完全一樣，是屬於自然的部分，西方稱之為實然。但是人有思考能力，可以自由選擇，稱為應然，也就是我應該怎麼做。宇宙萬物只有人類有這個問題，其他生物是什麼就是什麼，可以預測，代表有規則可循，自然的就是必然的，不可能有例外，如果有例外就是發瘋了，譬如瘋狗。瘋狗也有瘋狗的規則，也是一種可以理解的規則，只有人類不一樣。一個人高貴的時候像天使，卑賤的時候卻比野獸還可怕。

這種話我們常常聽到，尼采就說得很清楚，「人只是懸掛在深淵上的繩索」，表示人還沒有完成，在這一頭還是一個人，在那一頭才是超人。超人是走過去的人，從德文來說是 Übermensch，每一個人活在世界上都有身心的能量，你必得經過某種檢驗才能走過去，走過去才能成為超人，但是尼采的標準太高，最後他自已也發瘋了。他以拿破崙和歌德的合體作為超人的標準，每個人看了都覺得毫無希望，尼采自己也做不到。尼采是一位哲學家，他只看到二（人類和自然界），但不願意承認後面那個一。尼采說，超人是大地的意義。大地代表地球，代表人類。請問地球與人類有意義嗎？「意義」一定不能離開「理解」，如果沒有人類的理性，沒有理解的能力，這個世界從古到今，沒有意義的問題，只有存在的問題。

如果沒有超人的話，宇宙有意義嗎？換句話說，宇宙能被理解嗎？不能，所以尼采說超人是大地的意義。那怎麼把尼采轉過來？因為很多人喜歡拿尼采和莊子對比。如果不能夠讓人的生命經過某種考驗，展現出超人境界的話，這一切都談不上有什麼意義了，也就無法理解人類生活是為了什麼。當然，尼采的思想，可以演變成對人類生命價值的思考。

尼采說過：「芸芸眾生的存在，就是為了讓天才能夠出現。」你看所有的比賽，如果冠軍是本國人，就舉國歡騰，好像國家就是為了讓這個人出來照耀我們。尼采受到很多批判，因為他只把焦點放在最後的結果上，如果沒有那個目的和結果，過程根本不能被理解，如此，人類的生命不是很可悲嗎？但是，尼采說每一個人都可以成為超人，只是自己放棄了這個權利，他要喚醒大家。也因此雖然尼采死於一九〇〇年，但隔了一百多年，他的思想還是栩栩如生。只有尼采的思想能夠禁得起後現代社會的檢驗：所有的一切要重新開始。他宣稱上帝死了，就是要重新建立道德價值。讀了尼采的書，要奮然振興，我這個生命要成為超人，要自己負責，超人是大地的意義。尼采說，精神有三變，首先要從駱駝變成獅子，再從獅子變成嬰兒，重新開始。但我們生下來不是嬰兒嗎？那個不算，一定要你成長之後，又回到嬰兒心態。

莊子則提到精神，一個人的生命，如果沒有讓身和心的活動，經過某種修練展現出精神的話，他這一生完全不可理解，也就是說，他的一生沒有意義，只不過是芸芸眾生之一。如果經過某種修練，展現出精神來，當下那一剎那精神生於道，與道結合，生命豁然開朗，那個生命才是真正逍遙的開始。沒有經過這樣的修練，逍遙只能是想像而已。

對西方哲學了解得愈多，我愈覺得《莊子》真是了不起。《莊子・齊物論》說：「古之人，其知有所至矣。惡乎至？有以為未始有物者，至矣，盡矣，不可以加矣。」古代的人，他們的知識抵達頂點了。有些人認為根本不曾有萬物存在，這是到了頂點，到了盡頭，無法增加一分了。莊子告訴我們，從永恆來看，萬物確實不存在，在多少年之前沒有它，多少年之後沒有它，它是虛無。為什麼是虛無又一定要存在這片刻呢？這片刻由誰來保障？從這就能推論出莊子最後所要說的密契主義，「最高的智慧就是覺悟沒有東西存在。」

西方兩千多年來的哲學思考過程，一再追問的就是——「為什麼是有而不是無呢？」用英文講大概比較生動，Why is there something rather than nothing? 虛無比較合理，因為本來以前沒有你，以後也沒有你，虛無不需要解釋，因為根本沒有東西存在，但問題是為什麼是有而不是無？這就需要解釋。哲學是愛好智慧，它的智慧針對的不是日常生活的小技巧，而是這一切是「怎麼回事」，哲學起源於驚訝，讓別人感覺到wonder，其意義就在此。

莊子一個人就足以對付西方一群哲學家。這麼說並不誇張，因為莊子「其學無所不窺」，掌握了儒家、墨家的精華，指出其缺點；通透道家老子的思想，再加以發揮。至於名家兩大高手惠施與公孫龍，在《莊子》裡面又有什麼樣的表現？

先來談談惠施吧，（《莊子‧徐無鬼》）是這麼說的，莊子送葬時，經過惠子的墳墓，他回頭對跟隨的人說：「郢地有個人把石灰抹在鼻尖上，薄得像蒼蠅翅膀，再請石匠替他削去。石匠運起斧來輪轉生風，順手砍下，把石灰完全削去，而鼻子毫無損傷。郢地這個人站在那裡面不改色。宋元君聽說這件事，就召石匠來說：『請你做給寡人看看。』石匠說：『我還是能用斧頭削去石灰。不過，我的對手已經死去很久了。』自從先生去世以後，我沒有對手了，我沒有可以談話的人了！」

公孫龍也是一個高手，《莊子・秋水》中有名的埳井之蛙的故事，就是在說他。

學道家就要懂得以心合道，這是每一個人都有的潛能，能不能做到？如何做到？做到之後是什麼情況？這需要個人的體會。

第三講：美感洋溢的生命

說到美感，莊子的美是從整體來欣賞個體。萬物皆不同，人類總是會按照自己的需要來區分高下貴賤美醜。莊子強調萬物是從道而來，自然值得欣賞，所以把「美」這個字轉變成一個人主觀上是否有欣賞能力。如果沒有欣賞力，只能人云亦云。我對於很多藝術品毫無鑑賞能力，有時候去參觀畫展，在標價愈高的畫前面我刻意停留得久一點，卻怎麼也看不出個所以然來，這代表對價格的尊重，而不是對價值的欣賞。欣賞藝術很難，需要基礎訓練。對道家來說，欣賞萬物是每個人的天賦人權，就看你能不能體會它的美在何處。

我的老師方東美先生給我很大的啟發，他常引述「天地有大美而不言，四時有明法而不議，萬物有成理而不說。聖人者，原天地之美而達萬物之理。」（《莊子・知北遊》）天地有全然的美妙，卻不發一言；四時有明顯的規律，卻不必商議；萬物有既定的道理，卻不加說明。聖人，就是要存想天地的美妙，而通達萬物的道理。萬物的道理屬於真實，萬物皆美則屬於欣賞的層次，代表真實的皆值得欣賞。

天地有大美而不言

道家的思想發展到莊子，展現了從真實到美感的特殊通路。儒家講到美，一定會牽涉到善，因為善是儒家思想的核心，孔子用「盡美矣未盡善也」來描寫武樂；用「盡美矣又盡善也」來形容韶樂。然而道家不願意談善，因為善是一種價值判斷，需要有標準。一個人的行為善惡，光看外表不見得準確，所以道家認為最好是從真實到美感。

西方學者只要研究莊子，幾乎都會說他是密契主義者，很少有例外。它是所有宗教裡面的最高層次，密接契合 mysticism，宗教信仰使人化解生命的所有限制，放下自我執著，與其所信仰的對象合而為一，這就是密契主義。它來自於密契經驗，所以任何宗教裡都特別強調這一點，沒有例外。只要是名門正派的宗教，經過歷史檢驗還能夠存在發展的，都有密契主義這個層次，在此層次上大家完全相通，因為不可說，就與莊子所謂的「相視而笑，莫逆於心。」不謀而合。

道家談到美的時候，會假設任何情況、任何事物能夠出現，一定是各種條件的配合使然，人的主觀意識是無效的。這裡長一棵樹，你說我要換一棵，這一換就影響生態，造成各種後遺症。所以，人喜歡欣賞美的事物，卻忽略了最平常的其實是最美的，不必花費任何力氣就可以欣賞到，如果你一定要看到特定的風景，機會少很多。也許你會覺得歐洲古堡很美，可是當地人在乎的則是實用性，一牽涉到實用，就沒有所謂的美不美了。宇宙萬物只要能夠出現，一定有道在底下支持。

莊子的「德」字也受老子的啟發。老子的「德」就是獲得的「得」，萬物受到道的支持才能出現，因為道是唯一的根源，是究竟真實，而萬物是相對的真實。從宇宙形成一路發展到現在，凡存在之物一定有其存在的條件，這個條件是道給予的，因此它值得欣賞。

欣賞的第一步要從道來看，第二步要從其本身來看。布萊克（William Blake, 1757-1827）的詩是這麼寫的：「在一朵花裡，我看到一個天堂；在一粒沙裡面，我看到一個世界。」這還是有差別心。在莊子看來，從一朵花裡面看到道，那麼花就在道裡面，道就在花裡。「在」不等於「是」，代表既超越又內在，所以從道家來看，宇宙萬物每樣東西都顯示了道的精采，但是道又不被它們限制。

道家要人接受大自然，因為它沒有被人汙染與改變，大自然和道比較接近，人類會自作聰明。老子說，認知的心造成區分，區分之後，人類的價值觀就構成一個狹隘的世界了。莊子希望你接受大自然，並不是大自然比人類高貴，而是大自然比較符合道的要求。人類所製造的世界叫人文世界，是經過人的設計，就一定有所取捨，最後只適合某些人欣賞。

我去過歐洲，歐洲有很多漂亮的城堡，造型就與中世紀後期的城堡一樣，但如果內部不是我們習慣的現代化設備，叫你去過過看當時的生活，你肯定會受不了。

莊子用很多方式描寫自然界，他用「天」代表自然，這是道家的特色。儒家把「天」視為最高的一種力量，所以孔子五十而知天命，孟子說我要治好天下要看天的意思。可是道家則把天看成天地，代表自然界。

自然界很廣大，並未完全被人類的智慧所影響。人類的智慧在莊子裡面稱作智巧，即聰明加上善巧，巧代表巧手，你可以去改造自然，形成文化，但這種文化有時候反而是障礙、阻隔，分離了人類和道。所以莊子認為要從道去欣賞每一樣東西，首先要欣賞自然界，天空海洋河流山川，它們的美沒有人反對。所謂江上的清風，山間的明月，也是值得欣賞的。

那麼，住在大自然裡面，盡量和人類保持距離比較好嗎？並非如此。人的世界固然是人的聰明才智展現出來的成果，但人的生命也來自於道。所以，不能怪人類，道給了人類會思考、會分辨的能力，人類不能不用，但一用出來就成為文化產品。所以，人手所造的一切，最後也是來自於道。因此，從這個角度來欣賞人類世界的產品，就跟欣賞自然界一樣。但這就需要特別的功夫了。

通常我們比較容易欣賞自然界，但是斷垣殘壁、古代的戰場，你說這也美，就等於在說，凡存在皆為美。這個存在包括人類文化的產品。這即為道家，因為這一切也在整體中。

萬物平等，依其個體而得到全盤肯定

莊子的思維帶有密契主義的色彩，面對萬物有三種態度，第一，珍惜。如果一切來自於道，即使是我們所造的東西，一張桌子少了一隻腳，一間房子破了一個洞，它照樣是一個存在的東西，都值得珍惜。天下沒有任何廢物，更不要說有哪個人是不中用的，有時候我們看到有些人露宿街頭，會感嘆怎麼人反而比不上某些動物。所以人的生命若是沒有開發，是最可惜的事情。

道家充滿讓人安頓的力量，但是必須要自己覺悟，不能讓別人幫忙，更何況誰能幫誰呢？你能幫他一頓飯，但吃完飯之後，他還是必須自問生命該如何安頓，所以道家強調智慧。智慧，說簡單最簡單，說難又最難。簡單來說，一個人不讀書也能覺悟，大家都知道慧能的故事。禪宗六祖慧能是文盲，但也照樣覺悟，一看到他師兄寫的「身如菩提樹，心如明鏡臺，時時勤拂拭，勿使惹塵埃。」他馬上就覺悟了，得出「菩提本無樹，明鏡亦非臺，本來無一物，何處惹塵埃。」的道理。他其實沒有講什麼，他師兄是執著在具體的對象上面，慧能只是靈感來了，於是將它化解，這也算是覺悟。但是後面的就引起禪宗很多複雜的問題，其實慧能走的時候還是半夜偷跑的，怕被人家追殺。修行的人還要看誰傳到衣缽，還要分派別來對付，讓人覺得遺憾，把人的欲望加進修行裡去，這哪裡符合莊子的標準？

所以智慧覺悟說簡單很簡單，悟就悟了，悟到天地萬物本是一體。但是說難又真難，怎麼界定萬物是一體？你與身邊的人就不能是一體，每個人見面都是你是你，我是我。哪一個人不是到一個地方就先找自己熟悉的面孔、熟悉的聲音，這就是人的世界，到處都有各種隔閡。

人一旦覺悟，就能把各種隔閡去掉。宇宙萬物皆來自於道，道是一個整體，萬物一定有其存在的理由與條件。人也會懂得珍惜萬物，擁有了這樣的心，自身也會覺得快樂，因為人不會再強求一定需要有什麼樣的朋友，交朋友要合乎自然。很多時候我們對一個人先有成見，像有些作家最怕與別人認識，見面之後聊一聊，別人就說「見面不如聞名」。這就是先有了成見，你為什麼一定要規定誰如何？別人當作家一定要符合你的要求嗎？

「莫春者，春服既成，冠者五六人，童子六七人，浴乎沂，風乎舞雩，詠而歸。」（《論語・先進》）成年人五、六位，小孩子六、七位，這就是一種隨遇而安的心態，也是孔子為什麼欣賞曾點志向的原因。所以我們應該珍惜每一個出現在我們身邊的人，珍惜代表不要執著，不是說我們既然是好朋友，就非得堅持下去不可。人生最後要設法做到不得已，當各種條件成熟時，你就順其自然，交朋友不得已、朋友之間分手不得已，因為條件已經慢慢改變了，你就繼續往前走吧！

第二，會有喜悅感。所有的一切皆可欣賞，不再從一種功利實用的角度來看，只就它本身欣賞。平常我們都覺得小孩子比較可愛，忍不住多看幾眼，但不要忘記你看不順眼的人，他們小時候也是這麼可愛，「何昔日之芳草兮，今直為此蕭艾也。」不是這樣子嗎？所以為什麼要有喜悅？為什麼一定要有某種標準？然後說某些人不夠這個標準。他只要存在，就有他存在的理由。老子說善人、不善人都可以欣賞，甚至不要界定誰是善、誰是不善。

然而這個標準是如何界定的呢？一個惡人或不善之人，一念轉對就能為善人；一個善人一念轉錯就成惡人。所以不要先設定某種主觀的成見，要有喜悅的心，要做個真正的道家，像莊子，就算窮困還能快樂。《莊子》一書裡面講到窮困的人，從曾參到原憲再到顏淵，哪一個不快樂？他們都是儒家，莊子自然不會比他們遜色。莊子的快樂到處可見，一個莊子抵過你一整派儒家的學者。這種喜悅在你閱讀《莊子》的書時，難免覺得奇怪：這個人為什麼這麼開心？

因為從現實角度來看，他是一敗塗地，一輩子做過最大的官就是小公務員，不能算官，只能算吏，管理一座漆園。有一些朋友做大官了，根本就不理他，也不願幫忙他。他去向別人借米還被拒絕，想打一隻鳥來吃被人家以為是小偷，到處倉皇逃遁，好像是世界上最不起眼、最委屈的一個人。

從世俗的角度來看，他根本搆不到成就、成功的邊。但是這個世界上有幾個人比他快樂？他的快樂不是裝出來的，不是苦中作樂，他是真正的喜悅，因為他是道家，覺悟了道，他的精神層次即充分展現。

第三，活力。人有生命就有生命力，有人表現得很好，就是有活力，好像每天都很開心，孔子就是這種人，「發憤忘食，樂以忘憂，不知老之將至云爾。」（《論語・述而》）樂以忘憂的「樂」代表喜悅，且不管孔子有沒有珍惜萬物，顯然他對自然界沒有興趣，對人類比較注意，這叫作人文主義。但是不知道自己老了，代表有活力，年紀很老了還到處跑來跑去，別人就覺得這老先生真不簡單。換作我是孔子的話，五十五歲當司寇，發現魯國國君不重用我，至少我可以拿退休金，買一間房子養老，但是他周遊列國，有如喪家之犬，到現在還被人家嘲笑。

孔子怎麼是喪家犬呢？自古以來有幾個人，內在的豐富美好超過他，所以不能拿這句玩笑話當真。孔子從來沒有離開過他的天、他的信念，內心充實得不得了，他在一個地方，那個地方就形成一個核心，人類價值的核心。所以孔子本身充滿活力，正如孟子所說的，「大人者，不失其赤子之心者也。」（《孟子・離婁下》）

《莊子》也曾想過，人能否像嬰兒一樣充滿活力，擁有無限的可能？尼采倡言精神三變，第一變是駱駝，駱駝就是聽別人告訴你，你應該如何，你應該如何。第二變是獅子，就是告訴自己我要如何，我要如何，這是從被動到主動。第三步變成嬰兒，代表我就是這個樣子，他不再是被要求如何，也不再自我要求如何，他代表生命重新開始，每一剎那都是可貴的。

真正的生命是人的第二度生命。第一度生命是父母給的，叫作身體的生命，要經過第二度生命的覺悟，才有真正的生命，這是所有偉大的老師給學生的啟發。蘇格拉底死的時候，柏拉圖對同學說，老師死了，我們都成了無父的孤兒了；孔子死了，弟子們將他視為父母，為他守喪三年；釋迦牟尼佛圓寂了，他的弟子們也一樣變成孤兒了。所以你要第二度讓自己生命出現，回歸於嬰兒，這種活力就是莊子思想的特色。

這三點特色是莊子的密契主義值得思考的地方，他不需要宗教嚴格的教義或者戒律來要求，就能透過智慧展現這種密契經驗。這確實是人類思想史上令人驚訝的事，因為一般講密契主義，大多無法脫離某種宗教背景。

儒家和道家不是宗教，但是儒家具有宗教情操，道家具有宗教向度。

儒家的思想讓人感到生命應該往上提升。孔子說三十而立，四十而不惑……，如果他活到八十、九十歲，同樣有繼續向上的動力，這就是宗教情操。一個人信仰宗教，不就是為了繼續向上超越嗎？

梁啟超講到佛教的時候強調，勇猛、精進、不退轉。你一退轉就要從頭開始，所以宗教就有永遠向上提升的作用。儒家有如此的力量，所以孟子講儒家的境界，「可欲之謂善，有諸己之謂信，充實之謂美，充實而有光輝之謂大，大而化之之謂聖，聖而不可知之之謂神。」（《孟子・盡心下》）一步步上去，到最後不可知之。佛教修行到最高境界，是不可思議境界，這就有異曲同工之妙，說明人類精神層次無限提升的可能，這即是宗教情操。

道家表現的是宗教向度，什麼叫向度？一般翻成維度，長寬高三個向度，英文叫作 dimension。道家有宗教向度，因為「道」這個概念提出來之後，是自有人類以來所能找到最高的名稱，代表上帝、代表存在本身。印度叫作梵，每個宗教最高的超越界就是道所指稱的。道家想盡各種辦法來描述超越界，顯示一種宗教向度，讓你學習道家之後，感到生命無限開闊，可以和道結合。中國傳統儒家和道家兩大學派本來就有這樣的內容，學會之後再和其他思潮對照比較，則知它確實讓人讚嘆。

莊子思想常被提起的是「無用之用是為大用」，我簡單歸納其為三點：

第一，不追求特定的有用。特定的有用是某一段時間在某一個地方有用，等過了這段時間、離開這個地方後，又變成無用的了。人如果全力追求特定的有用，反而構成限制。並且「有用」一定有針對性，對你有用不一定對別人有用，對現在的你有用，對將來的你不一定有用。只知追求有用的話，很容易陷入困局。

第二，要化解對有用的執著。《莊子・逍遙遊》記載，惠施對莊子抱怨他的困擾，「魏王送給我大葫蘆的種子，我把它栽植成長，結出的葫蘆有五石的容量。用它來裝滿水，則它不夠堅固，無法負荷本身的重量。把它剖開做成瓢，它又寬大得沒有水缸容得下。這葫蘆不可說不大，我卻因為它沒有用而打碎它。」莊子說：「先生真是不善於使用大東西啊！宋國有人擅長調製不讓手龜裂的藥物，世世代代都以漂洗絲絮為職業。有一位客人聽說這事，願意出一百金購買他的藥方。他召集全家人來商量說：『我們世世代代漂洗絲絮，所得不過數金而已；現在一旦賣出藥方就可以賺到一百金，就賣給他吧！』客人拿了藥方，便去遊說吳王。正好越國興兵來犯，吳王派他擔任將領，冬天與越人在江上作戰，結果大敗越人，並因而得到封地做為獎賞。能夠不讓手龜裂，所用的藥方是一樣的；但是有人獲賞封地，有人不得不繼續漂洗絲絮，這是因為所用之處不同啊！現在你有五石大的葫蘆，為什麼不綁在身上當成腰舟，讓自己浮游於江湖之上，卻還要擔心水缸容不下它呢？可見先生的心思還是不夠通達啊！」

莊子其實並不反對把有用的東西用在適當的地方。我們不要以為莊子總是和別人唱反調，他是順著每個人的發展，希望他提升其自我的層次。

第三，安於自身的條件。什麼叫作無用？不要羨慕別人，但要安於自身的條件。某些事我做不到而顯得無用，但是我做好自己能做到的事，安於自身的條件時，就很有用了。李白也說「天生我材必有用」，身為一個人，你不一定要信佛教，但佛教講輪迴，人身難得，倒是一個事實。動物看人的眼神，流露出羨慕的樣子，人身為萬物之靈，這不是幻想而是事實，這個機會太難得了，值得好好珍惜。

因此，人要安於自身的條件，譬如，所學為何，從事的是什麼行業，都不用羨慕別人。如果當工人可以很快樂，就不要做祕書。你說我喜歡白領階級，白領階級不一定快樂。工人自食其力，當他臉上顯出祥和的神情，甚至還面帶微笑，我就很尊敬、羨慕他，因為他安分知足，生命條件不一樣，他就認真做自己的事。莊子編草鞋為生，我們學了道家之後，何必對他品頭論足？人只要按自己的能力做事，讓自己求得溫飽，一家人可以平安過日子，就值得尊重了。

尊重不只是表面上的，而是要從根本上認同生命的價值。價值在內不在外，要從道來掌握，「以道觀之，物無貴賤。」（《莊子・秋水》）從道來看，萬物沒有貴賤之分。所以，培養審美的眼光，能欣賞每一個人，只要他安於他的條件做好他的事。生命不就是如此嗎？

儒家的孟子推崇舜。舜令人感動的，是他年輕的時候，在歷山下耕田，日出而作，日入而息，好像本來他就該耕田一樣，並且準備如此耕田到老死，沒有任何遺憾。這一切好像本該如此，「若固有之」是孟子對舜的描寫。所以，我們都要問自己能不能在工作時若固有之，好像本來就是要做這些事的。後來舜受到堯的賞識，因為他到任何地方，都會使民風轉變。

歷山的農夫本來會互搶田地，趁夜把自家田埂向外推，可是舜來了之後，每個人都互相讓地。他去當漁夫，其他漁夫願意同他合作，一起捕魚。後來他又去做陶器，用的都是最好的材料，做出來的陶器很耐用。舜到任何地方去，民風立刻轉化，堯聽說了之後，要他代理天子之職，兩個女兒嫁給他，九個兒子全聽他的命令。

舜當了天子之後，沒有任何尷尬，也是若固有之，好像他本來就是天子，天下本來就應該給他。為什麼？因為他替老百姓服務，只有他能讓整個社會改變。我們說堯天舜日，堯是天，舜是太陽。他當天子五十六年，後來孟子對那個年代也非常嚮往。或許有人不認為堯舜有那麼美好，但重要的是怎麼解釋當時的情況。

講道家的時候，會說從道來看待一切，顯然是比儒家更深的關懷，包括要化解存在上的虛無主義，要回應人你對這個存在更根本的需求。不過，孔孟也可以了解道家在說些什麼，儒家也能夠表現出對於最高境界的嚮往。因此，我們要把儒家和道家對照來看，避免比較兩個學派，分出高低，這兩者本來就有不同的處世精神，既然如此，就會懷有不同的關懷。

美國哲學家威廉・詹姆士（William James, 1842-1910）說，哲學有兩種，一種是硬心腸的，一種是軟心腸的。其實人也有兩種。硬心腸像經驗主義，心腸很硬，實事求是，有根據才說話。因此，你問這位哲學家，死後有天堂有地獄嗎？有上帝嗎？他說沒有，經驗不能證明當然沒有，這就是心腸很硬，不給人任何希望。一般人喜歡軟心腸的，別人問我有天堂有地獄嗎？應該有吧！有上帝嗎？可能有吧！並不會因為經驗無法證明，就篤定認為沒有，這樣的思維總能帶給人一種希望。

這種分法也有道理，英國經驗派一般屬於硬心腸的，大陸理性派包括德國唯心論，都屬於軟心腸的。儒家比較屬於軟心腸的，你問可以行善嗎？可以。怎麼行善？真誠。從內在發出力量自己行善，快樂由內而發，由此可以止於至善。你問老莊說，人生有沒有善惡？他會說不要上當，那是相對的，但是他希望你直接覺悟道。英國經驗論「卑之無甚高論」，因為水清則無魚，沒有什麼水平，真正有水平的都在大陸理性派，由法國、德國發展出來。經驗論比較類似惠施、公孫龍，從事語言分析、辯證，講求具體經驗與邏輯實證，而歐陸理性派就比較豐富，可以把思辨過程講得非常精采。所以莊子最後說，每一樣東西都值得欣賞。

天地與我並生，而萬物與我為一

《莊子・天下》分析七大學派，我們也知道〈天下〉肯定不是莊子寫的，應該是莊子的後學所寫的，但是寫得真好，非讀不可。文中對莊子也做了一番描述，我們也可以用它作為結論。

〈天下〉說莊子的境界，第一，「上與造物者遊，而下與外死生無終始者為友。」要注意「遊」、「友」這兩個字，遊就是能夠遊玩，友就是做朋友，大家一起很開心的與「造物者」遊玩。莊子把道當作造物者，因為「造物」加上一個「者」，就變成具有人的特色，彷彿人和造物者可以溝通似的。只說「道」太抽象、太難掌握了，但一說造物者，沒錯，道生出萬物，道就是造物者，上與造物者同遊，與造物者當朋友，道是整體，無處不可遊。往下跟誰做朋友？外死生無終始者，能夠超脫生死的觀念，沒有生、死的想法，這就是莊子常說的最好的朋友——覺悟的人。

第二，「獨與天地精神往來，而不敖倪於萬物。不譴是非，以與世俗處。」獨自與天地精神往來，不輕視萬物，不質問別人的是非，而能與世俗相處。天地精神要理解為使天地成為天地的力量，這股力量就是道。同時，我跟世俗人也可以相處，就是外化了。「獨」代表內在，就是內不化。我獨自與天地精神往來云云，所說的就是外化而內不化，一切都順著不得已，讓自己的生命保持單純，最後同道結合，這就是莊子的思想。有機會一定要直接從原典慢慢去學習、去欣賞、去體會。

文化文創 BCC015A

傅佩榮 · 經典講座
莊子：以自在之心開發無限潛能

作者 — 傅佩榮

總編輯 — 吳佩穎
責任編輯 — 盧宜穗
特約編輯 — 李承芳、魏秋綢
封面設計 — 斐類設計

出版者 — 遠見天下文化出版股份有限公司
創辦人 — 高希均、王力行
遠見 · 天下文化 事業群董事長 — 高希均
事業群發行人／CEO — 王力行
天下文化社長 — 林天來
天下文化總經理 — 林芳燕
國際事務開發部兼版權中心總監 — 潘欣
法律顧問 — 理律法律事務所陳長文律師
著作權顧問 — 魏啓翔律師
地址 — 台北市 104 松江路 93 巷 1 號 2 樓

讀者服務專線 — 02-2662-0012 ｜ 傳眞 — 02-2662-0007, 02-2662-0009
電子郵件信箱 — cwpc@cwgv.com.tw
直接郵撥帳號 — 1326703-6 號　遠見天下文化出版股份有限公司

製版廠 — 東豪印刷事業有限公司
印刷廠 — 祥峰印刷事業有限公司
裝訂廠 — 聿成裝訂股份有限公司
登記證 — 局版台業字第 2517 號
總經銷 — 大和書報圖書股份有限公司 電話／(02)8990-2588
出版日期 — 2014/12/29 第一版第 1 次印行
2023/04/25 第二版第 4 次印行

定價 — NT$350
ISBN — 4713510945803
書號 — BCC015A
天下文化官網 — bookzone.cwgv.com.tw

國家圖書館出版品預行編目 (CIP) 資料

傅佩榮 · 經典講座：莊子：以自在之心開發無限潛能／傅佩榮著. -- 初版. -- 臺北市：遠見天下文化, 2014.12
面；　公分. --（文化文創；CC015）
ISBN 978-986-320-642-2（平裝）

1. 莊子　2. 研究考訂

121.337　　103025855